A Beginner's Guide

Dr Liaw Yock Fang

TIMES BOOKS INTERNATIONAL
Singapore • Kuala Lumpur

By the same author:

Standard Malay Made Simple
Standard Indonesian Made Simple
Speak Standard Indonesian: A Beginner's Guide
Indonesian In 3 Weeks

First published 1993
Reprinted 1995

Published by Times Books International
an imprint of Times Editions Pte. Ltd.

Times Centre, 1 New Industrial Road
Singapore 1953

Times Subang
Lot 46 Subang Hi-Tech Industrial Park
Batu Tiga, 40000 Shah Alam
Selangor Darul Ehsan, Malaysia

Printed by: JBW Printers & Binders Pte. Ltd

ISBN 981 204 342 X

CONTENTS

PREFACE

Speak Standard Malay: A Beginner's Guide, which is based on *Speak Indonesian: A Beginner's Guide*, aims to give the learner a grounding in Malay conversation. It is meant as a companion volume to *Standard Malay Made Simple*.

Speak Standard Malay adopts the same scheme as *Speak Indonesian*. The dialogues are grouped under 20 topics/ themes which cover many of the situations which a foreigner will encounter when staying in the Malay-speaking world. The dialogues make use of all the important sentence patterns in Malay. Having mastered these sentence forms, all that is required is an enlargement of the vocabulary. With a dictionary in hand, the learner should be able to communicate in Malay with a fair amount of confidence.

There are several varieties of Malay. The variety presented here is the standard form (*bahasa baku*) which is the most widely accepted form. It is used in official communications such as government announcements, laws and public lectures and is taught in school. It can also be used in informal situations as examplified in this book.

Standard Malay is similar to standard Indonesian. Bearing in mind the Indonesian equivalence of Malay words as listed in *Standard Malay Made Simple*, the learner who has mastered the contents of this book will also be able to communicate in Indonesian. It is perhaps for this reason that the Language Centre of the University of Malaya has introduced this form of Malay in the Malay language course which the centre published, i.e. *Kursus Permulaan Bahasa Malaysia I & II* (Bahasa Malaysia: A Beginner's Course).

It should, however, be pointed out that there are considerable differences between the type of spoken Malay as presented in this book and daily conversational Malay. Most of the dialogues in this book are in 'polite' Malay (*bahasa halus*) and can be used to address almost anyone, without causing any offence. Nonetheless, the learner should also have some understanding of colloquial Malay (*cakap mulut*) used among the Malays themselves and the bazaar Malay (*bahasa pasar*) used as *lingua franca* by the uneducated non-Malays. To this end, a chapter on colloquial Malay has been included.

Although this book is based basically on *Speak Indonesian*, many of the dialogues have been rewritten and new ones added. Cultural and situational differences dictate the changes. In other words, this book is not a Malay version of *Speak Indonesian*, but is in itself a new book.

I wish to thank a number of people for making the publication of this book possible. First and foremost, I must thank Drs. Munadi Patmadiwiria and Abdullah Hassan, who collaborated with me in producing *Speak Indonesian* which formed the basis of this book; I would also like to thank Dr. Leo Suryadinata for his many useful suggestions and Dr. Tan Cheng Lim for going through the English usage. If there remain errors and shortcomings, the responsibility is entirely mine.

DR. LIAW YOCK FANG
Department of Malay Studies
National University of Singapore
Singapore

NOTES ON PRONUNCIATION

Vowels

There are five vowels in Malay. Each vowel, except **e**, represents one sound.

a sounds like *a* in 'ask', e.g. *atas* (above)
e sounds like *a* in 'sofa', e.g. *keras* (hard)
(when stressed) sounds like *e* in 'bed', e.g. *meja* (table)
i sounds like *i* in 'fit', e.g. *kita* (we or us)
o sounds like *o* in 'go', e.g. *kota* (fort)
u sounds like *u* in 'put', e.g. *buku* (book)

Diphthongs

ai sounds like *i* in 'I', e.g. *pandai* (clever)
au sounds like *o* in 'now', e.g. *pulau* (island)
oi sounds like *oi* in 'boy', e.g. *sepoi* (softly)

Consonants

b sounds like *b* in 'before', e.g. *bibir* (lip)
c sounds like *ch* in 'cheap', e.g. *cuci* (to wash)
d sounds like *d* in 'deep', e.g. *lidah* (tongue)
f sounds like *f* in 'face', e.g. *fajar* (dawn)
g sounds like *g* in 'gain', e.g. *guru* (teacher)
h sounds like *h* in 'hand', e.g. *habis* (finished)
j sounds like *j* in 'jam', e.g. *gaji* (salary)
k sounds like *k* in 'keep', e.g. *buku* (book)
kh sounds like *ch* in 'loch', e.g. *akhir* (end)
l sounds like *l* in 'lamp', e.g. *lupa* (forget)
m sounds like *m* in 'map', e.g. *makan* (to eat)
n sounds like *n* in 'night', e.g. *nasi* (cooked rice)

ng sounds like *ng* in 'singing', e.g. *bunga* (flower)
ny sounds like *ny* in 'canyon', e.g. *bunyi* (sound)
p sounds like *p* in 'pass', e.g. *pisau* (knife)
q sounds like *q* in 'aquarium', e.g. *taqwa* (obedience to God)
r sounds like *r* in 'red', e.g. *merah* (red)
s sounds like *s* in 'sing', e.g. *siapa* (who)
sy sounds like *sh* in 'ship', e.g. *masyarakat* (society)
t sounds like *t* in 'take', e.g. *tutup* (close)
v sounds like *v* in 'very', e.g. *universiti* (university)
w sounds like *w* in 'wake', e.g. *warna* (colour)
x sounds like *x* in 'X-ray', e.g. *Sinar-X* (X-ray)
y sounds like *y* in 'year', e.g. *yang* (who, which)
z sounds like *z* in 'zone', e.g. *zaman* (period, age)

NOTES ON COLLOQUIAL MALAY

Colloquial Malay (*cakap mulut*) is the variety of Malay used among good friends and neighbours. It is widely heard at home, work places, market places and in shopping centres. It should be distinguished from bazaar Malay (*bahasa pasar*), which is used among the uneducated non-Malays or by the Malays in speaking to non-Malays condescendingly.

Colloquial Malay is marked by several characteristics. One of the most obvious characteristics is the avoidance of using personal pronouns:

1. *Siapa nama?* (What is [your] name?)
2. *Tinggal di mana?* (Where [do you] live?)
3. *Bekerja di mana?* (Where [do you] work?)
4. *Berapa umur?* (How old [are you]?)
5. *Nak ke mana?* (Where [are you] going?)
6. *Boleh cuci kereta saya hari ini?* (Can [you] wash my car today?)
7. *Petang ini pergi tak?* (Are [you] going this afternoon?)

In replying to the above questions, personal pronouns are also often omitted:

1. *Ahmad.*
2. *Jalan Bukit Merah.*
3. *Di bandar* (In town).
4. *Dua puluh* (twenty).
5. *Ke pasar* (market).
6. *Boleh* (Yes).
7. *Pergi* (Yes, I do).

In the family circles, nouns denoting family relations are used to replace personal pronouns: The most commonly used nouns are *datuk* (grandfather), *ayah* or *bapa* (father), *ibu* or *emak* (mother), *anak* (child), *abang* (elder brother), *kakak* (elder sister), *adik* (younger brother or sister), *mak cik <emak kecil>* (aunt), *pak cik <bapak kecil>* (uncle). Very often, these kinship terms are frequently used for people outside the family circle. For example, the word *abang* used by a girl or a woman may refer to her real brother, lover or husband, whom she regards as a brother. And a person who is addressed as *pak cik* or *mak cik* is very likely a person whom the speaker regards as an uncle or an aunt, and not his real uncle or aunt. In replying, the person so addressed will also use the same noun to refer to him- or herself.

1. *Emak ke mana?* (Where are you going, mother?)
   Emak ke pasar. (I am going to the market.)
2. *Abang ke mana?* (Where are you going, brother?)
   Abang ke pejabat. (I am going to the office.)
3. *Pak cik apa khabar?* (How are you, uncle?)
   Pak cik baik-baik saja. (I am fine.)
4. *Mak cik apa khabar?* (How are you, aunt?)
   Mak cik baik. (I am fine.)
5. *Kakak hendak balikkah?* (Are you going home, elder sister?)
   Kakak nak balik. (I am going home.)

Please note that the nouns in the above question may refer to a third person and, in the case, the meaning will be:

1. Where is mother going?
2. Where has elder brother gone to?
3. How is uncle?
4. How is aunt?
5. Is elder sister going to go home?

Titles such as *Tuan* (Sir), *Puan* (Madam, Mrs.), *Encik* (Mr.) and *Cik* (Mrs., Miss) are often used as second-person pronouns to replace 'you':

1. *Besok* ***Tuan*** *boleh pergi.* (Tomorrow you can go.)
2. *Pukul berapa* ***Puan*** *balik?* (What time will you be back?)

3. ***Encik*** *boleh datang hari-harikah?* (Can you come every day?)

If the name of the person spoken to is known, it is customary to use the title together with the name:

1. ***Encik Lim*** *hendak cubakah?* (Would you [Mr. Lim] like to try it?)
2. ***Cik Normah*** *tidak makan?* (Aren't you [Miss Normah] eating?)
3. ***Tuan Hassan*** *datang dari mana?* (Where do you [Mr. Hassan] come from?)
4. ***Puan Rahmah*** *nak ke Hong Kongkah?* (Are you [Mrs. Rahmah] going to Hong Kong?)

Titles can be left out altogether, if you know the name of the person spoken to, and he is a young man or your junior:

1. *Ali nak ke mana?* (Where are you [Ali] going?)
2. *Boleh Munah datang ke rumah?* (Can you [Munah] come to [my] house?
3. *Omar pergi mana?* (Where are you [Omar] going?)

The personal pronouns *awak*, *engkau* and *kamu* are widely used among intimate friends and between people of equal social standing or status. But it is better for the learner to avoid using these pronouns unless one is speaking to one's subordinate or a younger person, or a junior. The best pronoun to use is *Tuan*, *Puan*, *Encik*, *Cik* or *Saudara* and *Saudari*.

Colloquial Malay has some other characteristics which need to be noted too. Among them are:

- The omission of prepositions such as *di* (at, in, on) and *ke* (to, towards):

di tepi jalan (at the road side)	BECOMES	*tepi jalan*
di mana (where)		*mana*
ke mana (whither)		*mana*
balik ke rumah (to go home)		*balik rumah*

- The shortening of a number of words:

adik (younger brother or sister)	BECOMES	*dik*
anak (child)		*nak*
apabila (when)		*bila*
bapa(k) (father)		*pak*
begini (like this)		*gini*
begitu (like that)		*gitu*
dahulu (before, formerly)		*dulu*
delapan (eight)		*lapan*
emak (mother)		*mak*
hendak (wish to)		*nak*
ini (this, these)		*ni*
itu (that, those, the)		*tu*
kakak (elder sister)		*kak*
mempunyai (possess)		*punya*
sahaja (only, merely)		*aja*
sedikit (a little)		*sikit*
sekarang (futurity)		*karang*
sudah (completed, finished)		*dah*
tidak (no, not)		*tak*
tetapi (but)		*tapi*

- The use of colloquialisms:

ada apa? (what's the matter)	BECOMES	*apa hal?* or *apa kena?*
bagi (for)		*untuk*
bagaimana (how)		*macam mana*
beri (to give)		*kasi* or *bagi*
beritahu (to inform)		*bagi tahu* or *kasi tahu*
buat (to make)		*bikin*
datang sini (come here)		*mari*
demikian (like this, like that)		*begini* or *begitu*
hanya (except for, only)		*cuma* or *sekadar*

Standard Malay		Colloquial
ia (he, she, it)	BECOMES	*dia*
jikalau (if)		*kalau*
kata (to say)		*cakap* or *bilang*
kerana (because)		*fasal*
lihat (see)		*tengok*
mengapa (why)		*kenapa* or *apa fasal* or *fasal apa*
mereka (they)		*dia orang*
mesti (must)		*kena*
oleh (by)		*dek*
sangat or *amat* (very or too)		*benar* or *bukan main*
sedang (in the middle of)		*tengah*
seperti (like, resembling)		*macam*
sembelih (to slaughter)		*potong*
silakan (please)		*jemput* or *cuba* or *tolong*
tegah (disallow)		*tak beri*
terlalu (exceedingly, too)		*terlampau*
tiada (not)		*tidak* or *tak ada*
tidak perlu (no need)		*tak payah* or *tak usah*
tinggal (to stay)		*duduk*
tunggu (wait)		*nanti*

- A 'k' sound is added to some of the words ending with the vowel 'a', and 'i'. Some words ending with the sound 'l' is also changed to 'k':

Standard Malay		Colloquial
*ambi**l*** (to take)	BECOMES	*ambi**k***
*jug**a*** (also)		*juga**k***
*keci**l*** (small)		*keci**k***
*mint**a*** (ask for)		*minta**k***
*pul**a*** (again or also)		*pula**k***
*nas**i*** (rice)		*nasi**k***

• The use of the prefix ***me-*** is still a moot point. Some scholars insist that it must be used in all verbs. In spoken Malay, however, it is usually omitted except for certain words such as *menangis* (to cry), *menari* (to dance) and *mengantuk* (to be sleepy) where the prefix ***me-*** has almost become part and parcel of the words and it cannot be separated.

Although the prefix ***me-*** is not usually used in spoken Malay, it is nevertheless useful to know that ***me-*** will become ***mem-***, ***men-***, ***meng-*** and ***meny-*** when added to certain words:

mem- before words beginning with **b** and **p** (p is dropped), e.g. *beri – memberi*; *pakai – memakai*

men- before words beginning with **c**, **d**, **j**, and **t** (t is dropped), e.g. *cari – mencari*; *dapat – mendapat*

meng- before words beginning with vowels **h**, **g** and **k** (k is dropped), e.g. *halang – menghalng*; *gosok – menggosok*; *angkat – mengangkat*

meny- before words beginning with **s** (s is dropped), e.g. *sapu – menyapu*

me- remains unchanged before words beginning with all other initial consonants.

It should be pointed out here that although colloquial Malay is widely used among the Malays themselves, in speaking and in writing, it is not encouraged in schools. Students who use *bilang* (lit. to count) for *kata* (to say); *kasi* (lit. to castrate) for *beri* (to give) and *kasi tahu* for *beritahu* (to inform) are often punished. Indeed, colloquialism is not permitted at all. It is perhaps because colloquial Malay is sometimes associated with bazaar Malay. But colloquial Malay is not bazaar Malay. The late linguist, Za'ba, in his renowned work *Ilmu Mengarang Melayu* (The Art of Writing Malay), illustrated this by the following example:

Colloquial Malay

Lepas itu dia pun merokok, duduk di situ berjurus-jurus—

barangkali berfikir terkenangkan aku, ataupun terkenangkan hal masa berkawan-kawan dengan aku kecik-kecik dulu—macam-macamlah sampai entah pukul berapa, sampai bininya datang mengajak dia masuk. Yang aku, inilah hal aku, terbaring di sini, tak ada bini, tak ada anak, tak ada siapa mengajak aku masuk tidur.

lepas itu (after that)
berjurus-jurus (a while)
berfikir (to think of)
aku (I or me)
entah ([I] don't know)
mengajak (to invite)
berkawan-kawan (to make friends)
merokok (to smoke a cigarette)
barangkali (perhaps)
terkenangkan (to remember)
masa (time or period)
bininya (his wife)
terbaring (to stretch out)

Bazaar Malay

Saya boleh ajar apa macam mau jaga itu budak; tidak lama dia nanti cukup baik dan sihat. Pertama-tama itu budak kecil mesti selalu cukup bersih. Saya boleh tunjuk apa macam mau kasi mandi itu budak. Lagi satu mesti ingat, kasi itu budak makan dia punya emak punya susu sahaja, jangan susu lain. Itu emak punya susu lebih bersih dan senang boleh dapat, tidak kena belanja.

pertama-tama (firstly)
tunjuk (to show)
kena (must)
emak punya susu (mother's milk)
sihat (healthy)
senang (easy)
belanja (expense)

Summing up, although colloquial Malay is the best variety of Malay to use in speech, it is not used in this book. The dialogues presented here are very close to standard Malay.

1

GREETINGS AND TAKING LEAVE

Selamat Pagi

ALI : *Selamat pagi, Tuan*[*].
THOMAS : *Selamat pagi.*
ALI : *Apa khabar Tuan?*
THOMAS : *Khabar baik. Dan Encik pula bagaimana?*
ALI : *Khabar baik. Terima kasih.*

Good Morning

ALI : Good morning, sir.
THOMAS : Good morning.
ALI : How are you?
THOMAS : I am fine. And how about you?
ALI : I am fine. Thank you.

[*]*Tuan*, 'master', is a term used to address someone of high status. It is often used by a businessman to address his clients. It can be translated as 'sir', 'Mr.' or simply 'you'.

Apa Khabar[*]*?*

A : *Selamat pagi, Encik*[**] *Baharom.*
B : *Selamat pagi, Encik Arif.*
A : *Apa khabar Tuan?*
B : *Khabar baik, terima kasih. Dan Encik pula bagaimana?*
A : *Saya pun baik, terima kasih. Bagaimana keadaan orang tua*[***] *Encik Baharom?*
B : *Mereka berdua baik saja, terima kasih.*

How Are You?

A : Good morning, Mr. Baharom.
B : Good morning, Mr. Arif.
A : How are you?
B : I am fine. Thank you. And how about you?
A : I am fine, too. Thank you. How are your parents, Mr. Baharom?
B : They are both fine, thank you.

[*]*Apa khabar?* literally means 'What is the news?'
[**]*Encik* is the most widely used term to address someone who does not possess a title. Use before a proper name it simply means Mr.
[***]*Orang* means 'person' or 'people'. *Tua* means 'old'. *Orang tua* means 'parents' (literally, 'an old person').

Bagaimana Keadaan ...?

HASNAH : *Selamat pagi, Puan*[*] *Ramlah.*
RAMLAH : *Selamat pagi, Puan Hasnah.*
HASNAH : *Apa khabar Puan?*
RAMLAH : *Khabar baik. Terima kasih. Dan Puan pula bagaimana?*
HASNAH : *Saya juga baik. Terima kasih. Bagaimana keadaan keluarga Puan?*
RAMLAH : *Mereka baik-baik saja, terima kasih.*

How Are You?

HASNAH : Good morning, Madam Ramlah.
RAMLAH : Good morning, Madam Hasnah.
HASNAH : How are you?
RAMLAH : I am fine. Thank you. And how about you?
HASNAH : I am fine, too. Thank you. How is your family?
RAMLAH : They are fine, thank you.

[*] *Puan* is the female counterpart of *Tuan* (refer to page 2). It can be translated as 'Madam', 'Ma'am', 'Mrs.' or simply 'you'.

*Bagaimana Dengan Saudari**?

SAPIAH : *Selamat petang, Saudari Asmah.*
ASMAH : *Selamat petang, Sapiah.*
SAPIAH : *Apa khabar Saudari?*
ASMAH : *Khabar baik. Bagaimana dengan Saudari?*
SAPIAH : *Saya kurang sihat hari ini.*
ASMAH : *Oh begitu, mudah-mudahan Saudari lekas sembuh.*
SAPIAH : *Terima kasih.*
ASMAH : *Sama-sama.*

How Are You?

SAPIAH : Good afternoon, Miss Asmah.
ASMAH : Good afternoon, Sapiah.
SAPIAH : How are you?
ASMAH : I am fine. How are things with you?
SAPIAH : I am not feeling very well.
ASMAH : Oh, (I) hope you will recover soon.
SAPIAH : Thank you.
ASMAH : The same to you.

**Saudari* means 'sister'. It is a term widely used in Indonesia to address a female person of one's own age or younger. It has now been used in Malay as well. *Saudara* is the male counterpart of *Saudari*.

Apa Khabar Isteri Encik?

PANG : *Selamat pagi, Encik Haron?*
HARON : *Selamat pagi.*
PANG : *Apa khabar Encik.*
HARON : *Khabar baik. Terima kasih. Dan Saudara pula bagaimana?*
PANG : *Saya baik-baik saja. Terima kasih. Apa khabar isteri Encik sekarang?*
HARON : *Isteri saya juga baik. Terima kasih.*
PANG : *Sampaikan salam saya kepada isteri Encik.*
HARON : *Baiklah. Terima kasih.*

How Is Your Wife?

PANG : Good morning, Mr. Haron.
HARON : Good morning.
PANG : How are you, Mr. Haron?
HARON : I am fine. Thank you. And how about you?
PANG : I am fine. Thank you. How is your wife now?
HARON : She is also fine. Thank you.
PANG : Please convey my regards to your wife.
HARON : I will. Thank you.

Saudara Dari Mana?

ALIMAN : *Selamat petang*[*], *Encik Yusri.*
YUSRI : *Selamat petang.*
ALIMAN : *Apa khabar Encik?*
YUSRI : *Khabar baik, terima kasih. Dan Saudara pula bagaimana?*
ALIMAN : *Saya juga baik. Terima kasih.*
YUSRI : *Saudara dari mana?*
ALIMAN : *Dari kedai buku. Dan Saudara pula?*
YUSRI : *Dari pusat membeli-belah.*

Where Have You Come From?

ALIMAN : Good afternoon, Mr. Yusri.
YUSRI : Good afternoon.
ALIMAN : How are you?
YUSRI : I am fine, thank you. And how about you?
ALIMAN : I am fine, too. Thank you.
YUSRI : Where have you come from?
ALIMAN : From the bookshop. And what about you?
YUSRI : From the shopping centre.

[*]*Selamat pagi* (good morning) up to 11.30 a.m.
Selamat tengah hari (good noon) up to 2.00 p.m.
Selamat petang (good afternoon) up to 7.00 p.m.
Selamat malam (good evening/night) after dusk

Selamat[*] *Makan*

SAMSUL : *Selamat tengah hari, Tuan.*
TONY : *Selamat tengah hari.*
SAMSUL : *Tuan hendak pergi ke mana?*
TONY : *Saya hendak pergi makan.*
SAMSUL : *Tuan hendak pergi makan tengah harikah?*
TONY : *Ya, saya sangat lapar.*
SAMSUL : *Selamat makan, Tuan.*
TONY : *Terima kasih.*

Enjoy Your Meal

SAMSUL : Good noon, sir.
TONY : Good noon.
SAMSUL : Where are you going (now)?
TONY : I am going to have my lunch.
SAMSUL : You are going to have a lunch?
TONY : Yes, I am very hungry.
SAMSUL : Enjoy your meal, sir.
TONY : Thank you.

[*] *Selamat* means 'safe' or 'congratulation'. *Selamat tidur* is 'sleep well' and *selamat datang* is 'welcome'.

Di Mana Encik Tinggal?*

A : *Di mana Encik tinggal?*
B : *Saya tinggal di Jalan Hang Tuah.*
A : *Encik tinggal di Jalan Hang Tuah?*
B : *Ya. Mengapa?*
A : *Saya juga tinggal di sana. Sudah lamakah Encik tinggal di Jalan Hang Tuah?*
B : *Baru sebulan.*
A : *Patutlah saya tidak pernah berjumpa dengan Encik. Saya kenal hampir semua orang yang tinggal di sana.*
B : *Saya amat gembira dapat berkenalan dengan Encik.*

Where Do You Live?

A : Where do you live?
B : I live at Jalan Hang Tuah.
A : You live at Jalan Hang Tuah?
B : Yes. What's the matter?
A : I also live there. Have you been living long at Jalan Hang Tuah?
B : Just one month.
A : No wonder I've never met you. I know almost all the people living there.
B : I am very happy to make your acquaintance.

**Tinggal* means 'live' as well as 'left over'. *Wangnya tinggal dua ringgit* (He has just two ringgits left). Please note that *meninggal* means 'pass away'.

Adakah Puan Tinggal ...?

PUAN HAYATI : *Selamat petang, Puan.*
PUAN BROWN : *Selamat petang.*
PUAN HAYATI : *Apa khabar, Puan?*
PUAN BROWN : *Khabar baik. Terima kasih. Dan Puan pula?*
PUAN HAYATI : *Saya pun baik, terima kasih.*
PUAN BROWN : *Adakah Puan tinggal di sebelah rumah kami?*
PUAN HAYATI : *Ya, saya tinggal di sebelah rumah Puan. Saya jiran Puan.*

Are You Staying ...?

MRS. HAYATI : Good evening, Mrs. Brown.
MRS. BROWN : Good evening.
MRS. HAYATI : How are you, Mrs. Brown?
MRS. BROWN : Fine, thank you. And how about you?
MRS. HAYATI : I'm also fine, thank you.
MRS. BROWN : Are you staying next door?
MRS. HAYATI : Yes, I am staying next door. I am your neighbour.

Saya Minta Diri Dulu

RUKIAH : *Sudah pukul berapa sekarang?*
ASMAH : *Sekarang baru* pukul sebelas.*
RUKIAH : *Kalau begitu, saya minta diri dulu.*
ASMAH : *Mengapa tergesa-gesa sangat?*
RUKIAH : *Esok pagi saya ada kuliah.*
ASMAH : *Baiklah. Kalau ada masa lapang, datanglah ke rumah.*
RUKIAH : *Baiklah. Selamat malam.*
ASMAH : *Selamat malam.*

Please Excuse Me

RUKIAH : What is the time now?
ASMAH : It is just eleven o'clock.
RUKIAH : In that case, I should take my leave now.
ASMAH : Why in such a hurry?
RUKIAH : I have (to attend) lectures tomorrow morning.
ASMAH : All right. Do visit me whenever you are free.
RUKIAH : Certainly. Good night.
ASMAH : Good night.

**Baru* or *baharu* means 'just', 'only' or 'new' and *baru-baru ini* is 'recently'.

Saya Minta Diri

HASSAN : *Maafkan saya, Encik Murad.*
MURAD : *Ya, ada apa Encik Hassan?*
HASSAN : *Sudah pukul* berapa sekarang?*
MURAD : *Sekarang sudah hampir pukul sebelas malam.*
HASSAN : *Saya fikir sebaiknya saya minta diri dulu.*
MURAD : *Selalu-selalulah datang ke rumah.*
HASSAN : *Baiklah, terima kasih. Selamat malam.*
MURAD : *Selamat jalan. Sampaikan salam saya kepada orang tua Encik.*

I Have To Leave

HASSAN : Excuse me, Mr. Murad.
MURAD : Yes, what can I do for you, Mr. Hassan?
HASSAN : What is the time now?
MURAD : It is almost eleven o'clock.
HASSAN : I think I should take my leave now.
MURAD : Do come to my house often.
HASSAN : Yes, thank you. Good night.
MURAD : Good night. Give my regards to your parents.

**Pukul* means 'strike'. 'The clock strikes eleven' is *Pukul sebelas* or *Jam sebelas*, 'eleven o'clock'.

Saya Terpaksa Pergi ...

ALI : *Maafkan saya, Puan. Saya terpaksa pergi sekarang.*
PUAN : *Mengapa tergesa-gesa sangat?*
ALI : *Saya masih ada urusan lain.*
PUAN : *Sampaikan salam saya kepada isteri** *Encik.*
ALI : *Baiklah, Puan. Terima kasih.*
PUAN : *Selamat jalan, Encik Ali.*
ALI : *Selamat tinggal, Puan.*

I Have To Leave ...

ALI : Excuse me, Madam. I have to leave now.
MADAM : Why in such a hurry?
ALI : I still have something to do.
MADAM : Convey my regards to your wife.
ALI : Of course, Madam. Thank you.
MADAM : Goodbye, Mr. Ali.
ALI : Goodbye, Madam.

*A synonym for *isteri* is *bini* (colloquial). *Anak bini* means 'family'.

Saudara Hendak Ke Mana?

HASSAN : *Selamat petang, Saudara Ali.*
ALI : *Selamat petang. Apa khabar?*
HASSAN : *Khabar baik. Terima kasih. Saudara hendak ke mana?*
ALI : *Saya hendak ke rumah kawan. Dan Saudara hendak ke mana?*
HASSAN : *Saya hendak ke pasar raya.*
ALI : *Oh, itu bas saya sudah datang. Selamat tinggal.*
HASSAN : *Selamat jalan.*

Where Are You Going?

HASSAN : Good afternoon, Mr. Ali.
ALI : Good afternoon. How are you?
HASSAN : Fine, thank you. Where are you going?
ALI : I am going to a friend's house. And how about you?
HASSAN : I am going to the supermarket.
ALI : Oh, my bus is coming. Goodbye.
HASSAN : Goodbye.

2

ONESELF

*Encik Orang Singapurakah**?*

HALIM : *Encik orang Singapurakah?*
AZIZ : *Bukan, saya bukan orang Singapura.*
HALIM : *Encik berasal dari mana?*
AZIZ : *Saya berasal dari Kelantan.*
HALIM : *Kelantan, di daerah mana?*
AZIZ : *Di Kota Bharu.*
HALIM : *Jadi, Encik ini orang Malaysialah?*
AZIZ : *Ya, saya orang Malaysia.*

Are You A Singaporean?

HALIM : Are you a Singaporean?
AZIZ : No, I am not a Singaporean.
HALIM : Where do you come from?
AZIZ : I come from Kelantan.
HALIM : Which district in Kelantan?
AZIZ : Kota Bharu.
HALIM : So, you are a Malaysian, aren't you?
AZIZ : Yes, I am a Malaysian.

*-*kah* is a suffix used to form questions. It can be placed at the end of a sentence as shown in the above dialogue. It can also be placed at the beginning of a question, e.g. *Orang Singapurakah Encik?* In speech, it sounds like *ke*. It can also be left out as questions can be marked by a rising tone.

*Saudara Berasal Dari Mana**?*

A : *Saudara berasal dari mana?*
B : *Saya berasal dari Malaysia.*
A : *Dari pekan mana di Malaysia?*
B : *Dari Temerloh, Pahang.*
A : *Saudara ini mahasiswakah?*
B : *Bukan. Saya bukan mahasiswa. Saya seorang guru bahasa.*

Where Do You Come From?

A : Where do you come from?
B : I come from Malaysia.
A : Which (town) in Malaysia?
B : From Temerloh in Pahang.
A : Are you an undergraduate?
B : No. I am not an undergraduate. I am a language teacher.

**Mana* is a very useful word. *Di mana*, 'where'; *ke mana*, 'whither'; *dari mana*, 'from where'; *macam mana* or *bagaimana*, 'how', *yang mana*, 'which one'.

Saudara Seorang Pedagangkah?

DAVID : *Maafkan saya, siapa** *nama Saudara?*
TAHIR : *Nama saya Tahir.*
DAVID : *Saudara seorang pedagangkah?*
TAHIR : *Ya, saya seorang pedagang.*
DAVID : *Adakah kawan Saudara itu juga seorang pedagang?*
TAHIR : *Bukan. Dia bukan seorang pedagang. Dia seorang doktor gigi.*

Are You A Merchant?

DAVID : Excuse me, what is your name?
TAHIR : My name is Tahir.
DAVID : Are you a merchant?
TAHIR : Yes, I am a merchant.
DAVID : Is your friend also a merchant?
TAHIR : No, he isn't. He is a dentist.

**Siapa* or *siapakah* (formal) is an interrogative pronoun used to ask a person's name.

Saudarakah Yang Bernama Bahari?

AMIR : *Saudarakah yang bernama Bahari?*
BAHARI : *Ya, saya yang bernama Bahari.*
AMIR : *Siapakah yang bernama Saleh?*
BAHARI : *Dia adik saya.*
AMIR : *Saya ingin sekali berkenalan dengan adik Saudara.*
BAHARI : *Datanglah ke rumah. Nanti* saya perkenalkan.*

Are You Called Bahari?

AMIR : Are you called Bahari?
BAHARI : Yes, I am.
AMIR : Who is the person called Saleh?
BAHARI : He is my brother.
AMIR : I would like to get acquainted with your brother.
BAHARI : Do come to my house. I will introduce him to you.

**Nanti* means 'to wait', but here it is used as an auxiliary verb to indicate future time, 'shall' or 'will'.

Saudari Belajar Apa ...?

ELLA : *Saudari seorang mahasiswikah?*
NANI : *Ya, saya seorang mahasiswi.*
ELLA : *Saudari belajar apa di universiti?*
NANI : *Saya belajar bahasa Melayu dan bahasa Inggeris.*
ELLA : *Saudari orang Cinakah?*
NANI : *Bukan**. *Saya bukan orang Cina. Saya orang Melayu.*

What Are You Studying ...?

ELLA : Are you an undergraduate?
NANI : Yes, I am.
ELLA : What are you studying at the university?
NANI : I am studying Malay and the English language.
ELLA : Are you Chinese?
NANI : No. I am not Chinese. I am Malay.

**Bukan* is always used to negate nouns, e.g. *Dia bukan guru*, 'He is not a teacher'. To negate adjectives or verbs, *tidak* is used, e.g. *Dia tidak kaya*, 'He is not rich'; *Dia tidak datang*, 'He did not come'.

Di Manakah Pak Cik Tinggal?*

SANI : *Selamat pagi, Pak cik.*
RAMLAN : *Selamat pagi.*
SANI : *Nama saya Sani. Saya orang Singapura.*
RAMLAN : *Nama saya Ramlan. Saya orang Malaysia.*
SANI : *Di manakah Pak cik tinggal di Singapura?*
RAMLAN : *Saya tinggal di Clementi. Dan Anda pula tinggal di mana?*
SANI : *Saya tinggal di Holland Road.*

Where Do You Live?

SANI : Good morning, uncle.
RAMLAN : Good morning.
SANI : My name is Sani. I am a Singaporean.
RAMLAN : My name is Ramlan. I am a Malaysian.
SANI : Where do you live in Singapore?
RAMLAN : I live at Clementi. And where do you live?
SANI : I live at Holland Road.

**Pak cik* means 'uncle'. It is also used to address an older person who is not necessarily related. Its female counterpart is *Mak cik*, which means 'aunt' or 'auntie'.

Bagaimana Cik Tijah Pergi?

NORA : *Selamat pagi, Cik Tijah. Cik Tijah hendak*[*] *pergi ke mana?*
CIK TIJAH : *Selamat pagi. Saya hendak pergi ke sekolah.*
NORA : *Bagaimanakah Cik Tijah pergi ke sekolah?*
CIK TIJAH : *Saya naik bas.*
NORA : *Tidak bolehkah Cik Tijah berjalan kaki saja?*
CIK TIJAH : *Boleh. Tetapi agak jauh juga, kalau berjalan kaki.*
NORA : *Selamat jalan.*
CIK TIJAH : *Selamat tinggal.*

How Do You Go?

NORA : Good morning, Miss Tijah. Where are you going?
MISS TIJAH : Good morning. I am going to school.
NORA : How do you go to school?
MISS TIJAH : By bus.
NORA : Can't you walk (there)?
MISS TIJAH : Of course I can. But it is rather far to walk.
NORA : Goodbye.
MISS TIJAH : Goodbye.

[*]*Hendak*, meaning 'want to', is often shortened to *nak*. It is used to express future time in Malay.

Bila Saudara Dilahirkan?

AHMAD	:	*Selamat pagi, Encik.*
ENCIK LEMAN	:	*Selamat pagi, silakan*[*] *duduk.*
AHMAD	:	*Terima kasih.*
ENCIK LEMAN	:	*Siapa nama Saudara?*
AHMAD	:	*Nama saya Ahmad.*
ENCIK LEMAN	:	*Bila Saudara dilahirkan?*
AHMAD	:	*Saya dilahirkan pada 20 (dua puluh) haribulan Mei 1968.*
ENCIK LEMAN	:	*Apakah alamat Saudara?*
AHMAD	:	*Saya tinggal di Nombor 95, Pasir Panjang Road.*
ENCIK LEMAN	:	*Terima kasih. Itu saja pertanyaan saya.*

When Were You Born?

AHMAD	:	Good morning, sir.
MR. LEMAN	:	Good morning, please sit down.
AHMAD	:	Thank you.
MR. LEMAN	:	What's your name?
AHMAD	:	My name is Ahmad.
MR. LEMAN	:	When were you born?
AHMAD	:	I was born on the 20th of May, 1968.
MR. LEMAN	:	What is your address?
AHMAD	:	I live at No. 95, Pasir Panjang Road.
MR. LEMAN	:	Thank you. That's all I want to ask.

[*]*Sila* or *silakan*, 'please'. It is a term usually used by a host to invite his guest to enter the house (*sila masuk*), to drink (*sila minum*) or to eat (*sila makan*). Another word, *jemput,* meaning 'to invite', is also used.

Berapa[*] *Umur Saudara?*

ENCIK JASNI : *Siapa nama Saudara?*
MUSA : *Nama saya Musa.*
ENCIK JASNI : *Berapa umur Saudara?*
MUSA : *Umur saya dua puluh lapan tahun.*
ENCIK JASNI : *Siapakah nama bapa Saudara?*
MUSA : *Nama bapa saya Kassim.*
ENCIK JASNI : *Apakah alamat Saudara?*
MUSA : *Alamat saya ialah Nombor 22, Jalan Tupai, dekat Orchard Road.*
ENCIK JASNI : *Apakah pekerjaan Saudara?*
MUSA : *Saya seorang jurutera.*

How Old Are You?

MR. JASNI : What's your name?
MUSA : My name is Musa.
MR. JASNI : How old are you?
MUSA : I am 28.
MR. JASNI : What is your father's name?
MUSA : My father's name is Kassim.
MR. JASNI : What is your address?
MUSA : My address is No. 22, Jalan Tupai, near Orchard Road.
MR. JASNI : What is your occupation?
MUSA : I am an engineer.

[*]*Berapa*, 'how many'. *Berapa banyak*, 'how many'. Please note that *tak berapa* means 'not very'.

Bilakah Awak[*] Diperanakkan?

TUAN HASSAN : *Bilakah awak diperanakkan?*
DOLAH : *Saya diperanakkan pada 10 (sepuluh) haribulan Ogos 1965 (sembilan belas enam puluh lima).*
TUAN HASSAN : *Di mana awak diperanakkan?*
DOLAH : *Saya diperanakkan di Kampung Java, Singapura.*
TUAN HASSAN : *Awak warganegara mana?*
DOLAH : *Saya warganegara Singapura.*
TUAN HASSAN : *Berapa orangkah adik-beradik awak?*
DOLAH : *Lima orang.*

When Were You Born?

MR. HASSAN : When were you born?
DOLAH : I was born on the 10th August, 1965.
MR. HASSAN : Where were you born?
DOLAH : I was born in Kampung Java, Singapore.
MR. HASSAN : What is your nationality?
DOLAH : I am a Singaporean.
MR. HASSAN : How many brothers and sisters do you have?
DOLAH : Five.

[*]*Awak* is a very common second-person pronoun used when speaking to intimate friends or one's junior. It is best for the learner to avoid using this pronoun until he is being addressed as *awak*.

It is acceptable for an employer to address his employee as *awak*.

Siapa Nama Awak?

PEGAWAI : *Siapa nama awak?*
AHMAD : *Nama saya Ahmad.*
PEGAWAI : *Berapa umur awak?*
AHMAD : *27 (dua puluh tujuh).*
PEGAWAI : *Awak tinggal di mana?*
AHMAD : *18, Jalan Sentosa.*
PEGAWAI : *Pekerjaan?*
AHMAD : *Saya menganggur.*
PEGAWAI : *Baiklah. Kalau awak berjaya, awak akan diberitahu dengan surat**.

What Is Your Name?

OFFICER : What is your name?
AHMAD : My name is Ahmad.
OFFICER : What is your age?
AHMAD : 27.
OFFICER : Where do you live?
AHMAD : 18, Jalan Sentosa.
OFFICER : Occupation?
AHMAD : I am unemployed.
OFFICER : That is all. If you are successful, you will be informed by post.

**Surat* means 'letter'. And *suratkhabar* is 'newspaper'.

3

ONE'S FAMILY

Siapa Nama Saudara?

KHALID : *Selamat petang, Puan.*
PUAN : *Selamat petang. Siapa nama Saudara?*
KHALID : *Nama saya Khalid.*
PUAN : *Saudara ada* adik lelaki?*
KHALID : *Ya. Saya ada dua orang adik lelaki.*
PUAN : *Berapakah umur mereka?*
KHALID : *Seorang berumur dua puluh tahun dan seorang lagi berumur lima belas tahun.*

What Is Your Name?

KHALID : Good afternoon, Madam.
MADAM : Good afternoon. What is your name?
KHALID : My name is Khalid.
MADAM : Do you have brothers?
KHALID : Yes. I have two brothers.
MADAM : How old are they?
KHALID : One is twenty years old and the other is fifteen.

**Ada* is used in the sense of 'to have' or 'to possess'. *Encik ada duit?* (Do you have money?) The answer is *Ya, ada.* (Yes, I have.) It can be used as a synonym of *punya*.

Encik Warganegara Mana?*

RAHMAT : *Encik Lim ini orang Cinakah?*
LIM : *Bukan. Saya bukan orang Cina.*
RAHMAT : *Encik Lim bangsa apa?*
LIM : *Saya orang Dusun dari Sabah.*
RAHMAT : *Encik Lim warganegara mana?*
LIM : *Saya orang Malaysia.*
RAHMAT : *Jadi, Encik Lim ini warganegara Malaysialah?*
LIM : *Betul. Saya warganegara Malaysia. Saya memiliki kewarganegaraan Malaysia.*

What's Your Nationality?

RAHMAT : Are you a Chinese?
LIM : No. I am not a Chinese.
RAHMAT : What's your race (ethnic origin)?
LIM : I'm a Dusun from Sabah.
RAHMAT : What's your nationality?
LIM : I'm a Malaysian.
RAHMAT : So you are a citizen of Malaysia?
LIM : Yes. I'm a citizen of Malaysia. I have a Malaysian citizenship.

*Always try to use *Encik* or *Tuan* to address someone. And if you happen to know his name, use the name after *Encik,* as in this dialogue, or *Tuan*.

Saudara Ada Adik-beradik?

SAMY : *Selamat pagi, Encik.*
ENCIK MAHADI : *Selamat pagi. Saudara ada adik-beradik?*
SAMY : *Ada.*
ENCIK MAHADI : *Berapa orang?*
SAMY : *Lima orang.*
ENCIK MAHADI : *Saudara ada adik perempuan?*
SAMY : *Ya, saya ada.*
ENCIK MAHADI : *Berapa orang?*
SAMY : *Dua orang.*

Do You Have Brothers and Sisters?

SAMY : Good morning, sir.
MR. MAHADI : Good morning. Do you have brothers and sisters?
SAMY : Yes, I do.
MR. MAHADI : How many?
SAMY : Five.
MR. MAHADI : Do you have younger sisters?
SAMY : Yes, I have.
MR. MAHADI : How many?
SAMY : Two.

Saudara Anak Yang Keberapa?

ADAM : *Berapa orangkah adik-beradik Saudara?*
PETER : *Kami bertiga.*
ADAM : *Saudara anak yang keberapa?*
PETER : *Saya anak yang kedua.*
ADAM : *Abang*[*] *Saudara sudah bekerjakah?*
PETER : *Ya. Abang saya sudah bekerja.*
ADAM : *Adik?*
PETER : *Adik saya masih sekolah.*
ADAM : *Adik Saudara itu perempuankah?*
PETER : *Bukan. Adik saya lelaki.*

Which Child Are You?

ADAM : How many brothers and sisters do you have?
PETER : There are three of us.
ADAM : Which child are you?
PETER : I am the second child.
ADAM : Is your elder brother working already?
PETER : Yes. He is working already.
ADAM : Your younger sibling?
PETER : He is still schooling.
ADAM : Is your younger sibling a girl?
PETER : No. My younger sibling is a boy.

[*]*Abang*, 'elder brother', *adik,* 'younger brother'. Please note that some Malays address one another as *Abang* (shortened to *Bang*) or *Adik* (shortened to *Dik*). A Malay woman also addresses her lover or husband as *Abang*.

Sudahkah Saudara Berumahtangga?

AMRAN : *Maafkan*[*] *saya, Saudara Nasir. Bolehkah saya bertanya?*
NASIR : *Boleh.*
AMRAN : *Sudahkah Saudara berumahtangga?*
NASIR : *Sudah.*
AMRAN : *Sudah ada anak?*
NASIR : *Tiga orang, dua lelaki dan seorang perempuan.*
AMRAN : *Bagaimana keadaan mereka, apakah semuanya sihat?*
NASIR : *Mereka sihat-sihat semuanya.*
AMRAN : *Bagaimana dengan isteri Saudara?*
NASIR : *Dia juga sihat.*

Are You Married?

AMRAN : Excuse me, Mr. Nasir. May I ask you a question?
NASIR : Of course, you can.
AMRAN : Are you married?
NASIR : Yes.
AMRAN : Any children?
NASIR : Yes, three of them—two boys and one girl.
AMRAN : How are they? All in good health?
NASIR : They are all in good health.
AMRAN : How is your wife?
NASIR : She is also fine.

[*]*Maafkan* is often used when excusing oneself for intruding on someone. *Minta maaf* is to apologise.

Bagaimana Dengan Kakakmu?*

MARIAM	:	*Selamat petang, Puan.*
PUAN RAHMAH	:	*Oh, Mariam, silakan masuk.*
MARIAM	:	*Apa khabar Puan?*
PUAN RAHMAH	:	*Saya baik-baik saja. Bagaimana dengan Saudari?*
MARIAM	:	*Saya sihat-sihat saja.*
PUAN RAHMAH	:	*Dan bagaimana dengan kakakmu Rohani?*
MARIAM	:	*Kak Rohani sudah berkahwin tahun lalu.*
PUAN RAHMAH	:	*Abangmu bagaimana?*
MARIAM	:	*Abang saya, Kassim sudah menjadi mahasiswa.*
PUAN RAHMAH	:	*Apa yang dipelajarinya?*
MARIAM	:	*Undang-Undang.*

How Is Your Elder Sister?

MARIAM	:	Good evening, Madam.
MRS. RAHMAH	:	Oh, Mariam. Please come in.
MARIAM	:	How are you, Madam?
MRS. RAHMAH	:	I am fine. How are you?
MARIAM	:	I am in the best of health.
MRS. RAHMAH	:	And how is your elder sister Rohani?
MARIAM	:	My elder sister married last year.
MRS. RAHMAH	:	How is your brother?
MARIAM	:	My brother, Kassim, is now a university student.
MRS. RAHMAH	:	What does he study?
MARIAM	:	Law.

Mu is the clitic form of *kamu,* which is used to address one's junior or inferior.

Bolehkah Saya Bertanya ...?

DAVID : *Maafkan saya. Bolehkah saya bertanya sedikit tentang keluarga Saudara?*
PETER : *Boleh saja, silakan.*
DAVID : *Orang tua Saudara masih hidup?*
PETER : *Ibu saya masih ada tetapi ayah saya sudah meninggal.*
DAVID : *Di mana ibu Saudara sekarang?*
PETER : *Dia di Singapura, tinggal bersama abang saya.*
DAVID : *Mengapa Saudara tidak tinggal bersama mereka?*
PETER : *Flat tempat tinggal mereka terlalu kecil.*

May I Ask You Something ...?

DAVID : Excuse me. May I ask you something about your family?
PETER : Yes, please go ahead.
DAVID : Are your parents still alive?
PETER : My mother is still alive but my father has passed away.
DAVID : Where is your mother now?
PETER : She is in Singapore, staying with my elder brother.
DAVID : Why don't you stay with them?
PETER : The flat where they live is too small.

4

OCCUPATION

Apa Pekerjaan Beliau?*

ADNAN : *Kenalkah Saudara dengan Encik Leman?*
DAUD : *Belum lagi. Apa pekerjaan beliau?*
ADNAN : *Beliau seorang wartawan.*
DAUD : *Beliau bekerja di mana?*
ADNAN : *Beliau bekerja dengan sebuah suratkhabar di Kuala Lumpur.*
DAUD : *Apakah yang biasa dilakukan oleh seorang wartawan?*
ADNAN : *Seorang wartawan biasanya menulis berita.*
DAUD : *Cuma itu saja?*
ADNAN : *Tidak. Dia juga mengulas perkembangan politik dan ekonomi di dalam dan di luar negeri.*

What Is His Occupation?

ADNAN : Do you know Mr. Leman?
DAUD : No, not yet. What does he do?
ADNAN : He is a journalist.
DAUD : Where is he working?
ADNAN : He is working with a newspaper in Kuala Lumpur.
DAUD : Normally what is the job of a journalist?
ADNAN : A journalist writes news.
DAUD : Only that?
ADNAN : No. He also comments on political and economic developments at home and abroad.

**Beliau* is a third-person pronoun used to mention respected people.

Kenalkah Saudara Dengan Lelaki Itu?

ZAITON : *Kenalkah Saudara dengan lelaki itu?*
FAUZI : *Oh, itu Encik Abdullah.*
ZAITON : *Apa pekerjaan Encik Abdullah?*
FAUZI : *Encik Abdullah seorang guru sekolah.*
ZAITON : *Apa yang diajarkan oleh Cikgu* Abdullah?*
FAUZI : *Encik Abdullah mengajar murid-murid membaca, menulis dan mengira.*
ZAITON : *Cuma itu saja?*
FAUZI : *Tidak. Beliau juga mengajar ilmu alam dan sejarah.*

Do You Know That Man?

ZAITON : Do you know that man?
FAUZI : Oh, yes, that is Mr. Abdullah.
ZAITON : What does he do?
FAUZI : Mr. Abdullah is a school teacher.
ZAITON : What does Mr. Abdullah teach?
FAUZI : Mr. Abdullah teaches pupils to read, write and count.
ZAITON : Is that all?
FAUZI : No. He also teaches geography and history.

**Cikgu* is a blending of two words: *Encik,* 'Mr.' and *Guru*, 'Teacher'. It is often used as a title for teacher.

Adakah Cik Tan Seorang Setiausaha?*

ROSNANI : *Siapakah gadis itu?*
KALSOM : *Oh, itu Cik Tan.*
ROSNANI : *Adakah Cik Tan itu seorang setiausaha?*
KALSOM : *Ya, Cik Tan seorang setiausaha di pejabat kami.*
ROSNANI : *Apa tugas seorang setiausaha setiap hari?*
KALSOM : *Seorang setiausaha harus melayani panggilan telefon dan menulis surat. Kadang-kadang juga menyambut tetamu.*
ROSNANI : *Banyak juga kerja seorang setiausaha, ya?*

Is Miss Tan A Secretary?

ROSNANI : Who is that girl?
KALSOM : Oh, that is Miss Tan.
ROSNANI : Is Miss Tan a secretary?
KALSOM : Yes, Miss Tan is a secretary at our office.
ROSNANI : What does a secretary do every day?
KALSOM : A secretary must answer the telephone calls and write letters. Sometimes she has to receive guests.
ROSNANI : A secretary has many duties, eh?

**Cik* is a title used to address a woman. It can be translated as Miss or Mrs. It is sometimes used orally to refer to a man, and translated as Mr.

Beliau Seorang Saudagarkah?

RAMLI : *Siapakah orang itu?*
KASSIM : *Oh, itu Encik Leo.*
RAMLI : *Beliau seorang saudagarkah?*
KASSIM : *Bukan, beliau bukan seorang saudagar. Beliau seorang pegawai di Kedutaan Indonesia.*
RAMLI : *Siapakah orang yang berbual dengan Encik Leo itu?*
KASSIM : *Oh, itu Encik Ayapan. Beliau seorang pegawai di Kementerian Luar Singapura.*

Is He A Merchant?

RAMLI : Who is that man?
KASSIM : Oh, that is Mr. Leo.
RAMLI : Is he a merchant?
KASSIM : No, he is not a merchant. He is an employee at the Indonesian Embassy.
RAMLI : Who is the man speaking to Mr. Leo?
KASSIM : Oh, that is Mr. Ayapan. He is an officer from the Foreign Ministry of Singapore.

Tuan Ini Wartawankah?

YUNUS : *Tuan ini wartawankah?*
BILL : *Bukan, saya bukan wartawan.*
YUNUS : *Tuan seorang*[*] *pengusahakah?*
BILL : *Bukan, saya bukan seorang pengusaha.*
YUNUS : *Apa pekerjaan Tuan?*
BILL : *Saya seorang peguam.*

Are You A Journalist?

YUNUS : Are you a journalist?
BILL : No, I am not a journalist.
YUNUS : Are you an industrialist?
BILL : No, I am not an industrialist.
YUNUS : What do you do?
BILL : I am a lawyer.

[*]*Seorang* means *satu orang*, 'one person' or 'alone'. *Seratus* is *satu ratus*, 'one hundred'; *seribu* is *satu ribu*, 'one thousand'; and *sepuluh ribu* is 'ten thousand'.

Apa Pekerjaan Orang Tua Saudari?

AHMAD : *Apa pekerjaan orang tua Saudari?*
RADIAH : *Bapa saya seorang jurutera. Ibu saya seorang guru.*
AHMAD : *Bagaimana pula dengan abang Saudari?*
RADIAH : *Abang saya seorang doktor.*
AHMAD : *Adik lelaki Saudari?*
RADIAH : *Dia tidak bekerja. Dia seorang pelajar.*

What Are Your Parents' Occupations?

AHMAD : What are your parents' occupations?
RADIAH : My father is an engineer. My mother is a teacher.
AHMAD : What about your brother?
RADIAH : My brother is a doctor.
AHMAD : Your younger brother?
RADIAH : He is not working. He is a student.

Tuan Ini Doktor Apa?

JALANI : *Tuan ini seorang doktorkah?*
TAN : *Ya. Saya seorang doktor.*
JALANI : *Tuan ini doktor apa?*
TAN : *Saya seorang doktor gigi.*
JALANI : *Tuan ada klinik sendiri?*
TAN : *Ya. Saya ada klinik sendiri.*
JALANI : *Cuba Tuan terangkan sedikit mengenai pekerjaan Tuan itu.*
TAN : *Saya memeriksa gigi para pesakit dengan teliti. Gigi yang berlubang perlu ditampal. Kadang-kadang gigi itu terpaksa dicabut.*
JALANI : *Bagaimana pendapatan seorang doktor gigi?*
TAN : *Lumayan juga.*

What Kind Of Doctor Are You?

JALANI : Are you a doctor?
TAN : Yes. I'm a doctor.
JALANI : What kind of doctor are you?
TAN : I'm a dentist.
JALANI : Do you have your own clinic?
TAN : Yes. I do.
JALANI : Please explain a little about your job.
TAN : I examine the teeth of my patients carefully. The tooth which has a hole must be filled. Sometimes the tooth has to be extracted.
JALANI : What's the income of a dentist like?
TAN : Quite substantial.

Di Sekolah Manakah Anda Mengajar?*

FATIMAH : *Encik Ibrahim, apakah Anda seorang guru?*
IBRAHIM : *Benar, saya seorang guru.*
FATIMAH : *Di sekolah manakah Anda mengajar?*
IBRAHIM : *Saya mengajar di Sekolah Menengah Temasek.*
FATIMAH : *Anda mengajar matapelajaran apa?*
IBRAHIM : *Saya mengajar bahasa Inggeris.*
FATIMAH : *Terima kasih.*

Which School Do You Teach In?

FATIMAH : Mr. Ibrahim, are you a teacher?
IBRAHIM : Yes, I am a teacher.
FATIMAH : Which school do you teach in?
IBRAHIM : I am teaching at Temasek Secondary School.
FATIMAH : What subject do you teach?
IBRAHIM : I teach English.
FATIMAH : Thank you.

**Anda* is a term coined in the 1950s in Indonesia as an equivalent of 'you'. It is to be used in all situations. At first it was only used in mass media, but now it is widely used in Indonesia and Malaysia.

Encik Ini Guru Bahasa Melayu?

HENRY : *Encik ini guru bahasa Melayu?*
HASSAN : *Betul, saya guru bahasa Melayu.*
HENRY : *Sudah berapa lama Encik mengajar bahasa Melayu?*
HASSAN : *Saya mengajar bahasa Melayu sudah 20 (dua puluh) tahun.*
HENRY : *Encik tidak bosan?*
HASSAN : *Tidak, saya tidak bosan. Kalau bosan, sudah lama saya tukar pekerjaan.*
HENRY : *Encik memang seorang guru bahasa yang baik.*

Are You A Malay Language Teacher?

HENRY : Are you a Malay language teacher?
HASSAN : Yes, I am a Malay language teacher.
HENRY : How long have you been teaching Malay?
HASSAN : I have been teaching Malay for 20 years.
HENRY : Don't you get bored?
HASSAN : No, I am not bored. If I were bored, I would have changed my job long ago.
HENRY : You are really a good language teacher.

5

DESCRIBING PEOPLE

Razali Yang Mana?

KAMARI : *Encik Goh kenal Razali?*
GOH : *Razali yang mana? Yang kurus tinggi dan memakai kacamata?*
KAMARI : *Bukan, Razali yang saya maksudkan itu agak gemuk dan pendek orangnya.*
GOH : *Oh, Razali yang menjadi wartawan itukah?*
KAMARI : *Bukan, tetapi Razali yang menjadi ahli perniagaan.*
GOH : *Oh, baru saya ingat. Apa halnya dengan dia?*
KAMARI : *Dia sudah berkahwin dengan Salimah.*
GOH : *Salimah yang hitam manis* itukah?*
KAMARI : *Betul, Salimah yang hitam manis itulah.*

Which Razali?

KAMARI : Do you know Razali, Mr. Goh?
GOH : Which Razali? The thin but tall one who wears glasses?
KAMARI : No, not him. The Razali I meant is rather fat and short and does not wear glasses.
GOH : Oh, Razali the journalist?
KAMARI : No, Razali the businessman.
GOH : Yes, now I remember. Anything about him?
KAMARI : He has married Salimah.
GOH : The dark, sweet Salimah?
KAMARI : Yes, the dark and sweet Salimah.

**Hitam manis*, 'dark and sweet', is usually used to describe a girl with a dark-brown complexion.

Apa Pendapat Saudara Tentang Tijah?

A : *Apa pendapat Saudara tentang Tijah?*
B : *Saya fikir dia sangat cantik dan cerdas.*
A : *Bagaimana dengan adik perempuannya Timah?*
B : *Saya fikir Timah kurang cantik dan kurang cerdas pula.*
A : *Tidakkah Timah ada kelebihan sedikit pun?*
B : *Ada juga. Timah lebih ramah dan periang*[*], *sedangkan Tijah sombong dan pendiam.*
A : *Pendapat Saudara betul. Saya setuju dengan Saudara.*

What Do You Think About Tijah?

A : What do you think about Tijah?
B : I think she's very beautiful and intelligent.
A : What do you think about her younger sister, Timah?
B : I think Timah is not as beautiful or intelligent.
A : Doesn't Timah have some positive points?
B : Yes, she does. She's friendly and lively, but her sister, Tijah, is proud and quiet.
A : You are right. I agree with you.

[*]The prefix ***pe-*** denotes someone who has acquired the characteristic stated in the root word; *periang,* 'a lively person' or 'lively'; *pendiam*, 'a quiet person'; *pemalas*, 'a lazy person' or 'lazy'.

Adakah Orangnya Pendek Dan Gemuk?

A : *Tadi ada tamu semasa Tuan sudah keluar.*
B : *Siapa namanya?*
A : *Encik Mahmud.*
B : *Encik Mahmud? Adakah orangnya pendek dan gemuk?*
A : *Ya, betul.*
B : *Kalau begitu tentu Encik Mahmud Ahmad.*
A : *Encik Mahmud Ahmad?*
B : *Ya, Mahmud Ahmad, seorang pengusaha terkenal*[*].

Was He Short And Fat?

A : Someone called just now when you were out?
B : What's his name?
A : Mr. Mahmud.
B : Mr. Mahmud? Was he short and fat?
A : Yes, he was.
B : Then it must be Mr. Mahmud Ahmad.
A : Mr. Mahmud Ahmad?
B : Yes, Mr. Mahmud Ahmad, a famous entrepreneur.

[*]*Terkenal* from *ter* + *kenal*, which means 'famous'. *Kenal*, 'to know', 'to be acquainted with'; *kenalkan*, 'to introduce'; *kenalan*, 'acquaintance'.

Bagaimana Rupa Pensyarah Saudara?

JAAFAR : *Bagaimanakah rupa pensyarah bahasa Melayu Saudara?*
WILLIAM : *Maksud Saudara Encik Asraf?*
JAAFAR : *Ya, Encik Asraf.*
WILLIAM : *Encik Asraf itu agak tinggi orangnya.*
JAAFAR : *Encik Asraf memakai kacamatakah?*
WILLIAM : *Tidak, Encik Asraf tidak memakai kacamata.*
JAAFAR : *Adakah dia garang orangnya?*
WILLIAM : *Tidak, dia sangat peramah.*

How Does Your Malay Language Lecturer Look Like?

JAAFAR : How does your Malay language lecturer look like?
WILLIAM : (You mean) Mr. Asraf?
JAAFAR : Yes, Mr. Asraf.
WILLIAM : Well, Mr. Asraf is rather tall.
JAAFAR : Does he wear spectacles?
WILLIAM : No, he doesn't.
JAAFAR : Is he fierce?
WILLIAM : No, he is very friendly.

Adakah Dia Baik Orangnya?

JULITA : *Awak kenal Encik Brown?*
SALMI : *Ya saya kenal. Dia guru bahasa Inggeris saya.*
JULITA : *Adakah dia baik orangnya?*
SALMI : *Dia sungguh baik.*
JULITA : *Dia ada keretakah?*
SALMI : *Saya fikir tentu ada.*
JULITA : *Dia tinggal di mana?*
SALMI : *Di sebuah rumah flat di Tanah Merah.*
JULITA : *Adakah dia sudah berumahtangga**.
SALMI : *Itu saya kurang pasti. Tanyalah dia sendiri.*

Is He A Good Man?

JULITA : Do you know Mr. Brown.
SALMI : Yes, I do. He's my English language teacher.
JULITA : Is he a good man?
SALMI : Yes, he's a good man.
JULITA : Does he have a car?
SALMI : I think he does.
JULITA : Where does he live?
SALMI : In a flat in Tanah Merah.
JULITA : Is he married?
SALMI : That I am not sure. Just ask him yourself.

*The prefix ***ber-***, when added to a noun, means 'to possess' or 'to have'. *Berumahtangga*, 'to have a family'; *beranak*, 'to have a child' or 'to give birth to a child'.

***Beliau Sudah Berkahwinkah**[*]?*

NURAINI : *Siapakah jiran baru Saudara?*
HAMID : *Encik Bidin.*
NURAINI : *Encik Bidin berasal dari mana?*
HAMID : *Beliau datang dari Ipoh, Perak.*
NURAINI : *Di manakah beliau bekerja?*
HAMID : *Beliau bekerja di sebuah syarikat di kota kita ini.*
NURAINI : *Beliau sudah berkahwinkah?*
HAMID : *Saya fikir, sudah.*

Is He Married?

NURAINI : Who is your new neighbour?
HAMID : Mr. Bidin.
NURAINI : Where does Mr. Bidin come from?
HAMID : He comes from Ipoh, Perak.
NURAINI : Where is he working?
HAMID : He is working in a firm in this city.
NURAINI : Is he married?
HAMID : I think so.

[*]The prefix ***ber-*** also means 'to do something for oneself' (reflexive) or 'with other' (reciprocal). *Berenang* is 'to swim' and *bercakap* is 'to talk to someone'. *Berkahwin* is 'to get married'.

Bagaimanakah Orangnya?

JAMIL : *Malek, siapakah lelaki itu?*
MALEK : *Itulah jiran sebelah saya.*
JAMIL : *Siapakah namanya?*
MALEK : *Namanya Pak* Karto.*
JAMIL : *Pak Karto datang dari mana?*
MALEK : *Dia datang dari Jakarta.*
JAMIL : *Bagaimanakah orangnya?*
MALEK : *Oh, beliau baik dan peramah.*

What Is He Like?

JAMIL : Malek, who is that man?
MALEK : Oh, that is my next door neighbour.
JAMIL : What is his name?
MALEK : His name is Mr. Karto.
JAMIL : Where does Mr. Karto come from?
MALEK : He comes from Jakarta.
JAMIL : What is he like?
MALEK : Oh, he is kind and friendly.

**Pak* is the short form of *Bapak*, which means 'father'. In Indonesia, it is a term used to address an older man or one with high social status.

Encik Kenal Karim?

ASRAF : *Assalamu alaikum**.
BADRUL : *Wa alaikum salam.*
ASRAF : *Betulkah rumah ini nombor 10, Jalan Yunus?*
BADRUL : *Betul.*
ASRAF : *Encik kenal Karim?*
BADRUL : *Encik Karim yang mana?*
ASRAF : *Encik Karim yang menjadi guru bahasa itu.*
BADRUL : *Oh Encik Karim Omar. Maaf, dia tidak ada di rumah. Dia sudah keluar.*

Do You Know Mr. Karim?

ASRAF : Peace be unto you.
BADRUL : And unto you be peace.
ASRAF : Is this house number 10, Jalan Yunus?
BADRUL : Yes.
ASRAF : Do you know Mr. Karim.
BADRUL : Which Mr. Karim?
ASRAF : Mr. Karim, the language teacher.
BADRUL : Oh, Mr. Karim Omar. I am sorry, he is not in. He's out (at the moment).

**Assalamu alaikum* is the Islamic way of greeting.

Siapa Teman Karib Saudara?

A : *Siapa teman karib Saudara?*
B : *Teman karib saya ialah Tony.*
A : *Tony itu bagaimana orangnya?*
B : *Tony itu jujur dan baik hati.*
A : *Bagaimana pandangan rakan Saudara tentang Tony?*
B : *Rakan saya fikir Tony itu murah hati dan suka menolong orang.*
A : *Apa pekerjaannya?*
B : *Seorang pemandu teksi.*

Who Is Your Good Friend?

A : Who is your good friend?
B : My good friend is Tony.
A : What kind of person is Tony?
B : Tony is honest and kind-hearted.
A : What do your colleagues think of Tony?
B : My colleagues think that Tony is generous and helpful.
A : What is his occupation?
B : Taxi driver.

6

IDENTIFYING AND DESCRIBING OBJECTS

Itu Bendera Apa?

JOHN : *Lim, itu bendera apa?*
LIM : *Oh, itu bendera Malaysia.*
JOHN : *Bendera itu ada gambar bintang dan bulan sabit.*
LIM : *Ia juga ada 14 (empat belas) jalur. Jalur itu melambangkan** *negeri-negeri dalam Malaysia.*
JOHN : *Bulan sabit pula?*
LIM : *Bulan sabit itu menandakan bahawa Islam adalah agama rasmi Malaysia.*
JOHN : *Bintang itu?*
LIM : *Bintang dengan bucu-bucunya itu juga menandakan negeri-negeri dalam Malaysia.*
JOHN : *Terima kasih atas keterangan Saudara.*

What Flag Is That?

JOHN : Lim, what flag is that?
LIM : That's the Malaysian flag.
JOHN : The flag has a star and a cresent moon.
LIM : It also has fourteen stripes. The stripes represent all the states of Malaysia.
JOHN : And the cresent moon?
LIM : The cresent moon shows that Islam is the national religion of Malaysia.
JOHN : The star?
LIM : The star and its angles also represent all the states of Malaysia.
JOHN : Thank you for your explanation.

**Me + lambang + kan = melambangkan*, 'to symbolize' or 'to represent'; *lambang*, 'symbol'. *Me + tanda + kan = menandakan*, 'to signal' or 'to show'; *tanda*, 'sign' or 'symbol'.

Itu Bendera Indonesiakah?

JOHN : *Itu bendera Indonesiakah?*
LIM : *Bukan, itu bukan bendera Indonesia. Itu bendera Singapura.*
JOHN : *Tapi warna merah dan putihnya sama seperti bendera Indonesia.*
LIM : *Betul. Warna dan bentuknya hampir sama dengan bendera Indonesia. Tetapi ada perbezaannya.*
JOHN : *Apa perbezaannya?*
LIM : *Di sudut kiri atas bendera Singapura ada bulan sabit dan lima bintang.*
JOHN : *Apa ertinya bulan sabit itu?*
LIM : *Bulan sabit itu menandakan bahawa Singapura sebuah negara muda.*
JOHN : *Lima bintang pula?*
LIM : *Lima bintang itu melambangkan cita-cita negara Singapura.*

Is That An Indonesian Flag?

JOHN : Is that an Indonesian flag?
LIM : No, that's not an Indonesian flag. That's a Singapore flag.
JOHN : But its red and white colours are just like an Indonesian flag.
LIM : Yes, its colours and shape are almost like an Indonesian flag. But there is a difference.
JOHN : What's the difference?
LIM : There is a crescent moon and five stars on the left top corner of the Singapore flag.
JOHN : What does the crescent moon mean?

LIM : It means that Singapore is a new country.
JOHN : And the five stars?
LIM : They represent Singapore's aspirations as a nation.

Ini Apa[*]*?*

SARIP : *Ini apa?*
JENNIFER : *Ini meja.*
SARIP : *Apakah ini juga meja?*
JENNIFER : *Bukan, itu kerusi.*
SARIP : *Apakah nama benda ini dalam bahasa Melayu?*
JENNIFER : *Itu cawan.*
SARIP : *Apakah ini juga cawan?*
JENNIFER : *Bukan, itu gelas.*

What Is This?

SARIP : What is this?
JENNIFER : This is a table.
SARIP : Is this a table too?
JENNIFER : No, that's a chair.
SARIP : What is this called in Malay?
JENNIFER : That is a cup.
SARIP : Is this a cup, too?
JENNIFER : No, that's a glass.

[*]*Apa*, 'what'. *Apa-apa*, 'whatever' or 'anything'. *Dia tidak minta apa-apa*, 'He did not ask for anything at all'.

Adakah Ini Buku Saudari?

AYUB : *Saudari tahukah* ini apa?*
FELICIA : *Itu buku.*
AYUB : *Adakah ini buku Saudari?*
FELICIA : *Bukan, itu bukan buku saya.*
AYUB : *Apakah namanya dalam bahasa Melayu?*
FELICIA : *Itu majalah.*
AYUB : *Adakah itu majalah Saudari?*
FELICIA : *Ya, itu majalah saya.*

Is This Your Book?

AYUB : Do you know what is this?
FELICIA : That is a book.
AYUB : Is this your book?
FELICIA : No, that's not my book.
AYUB : What is this called in Malay?
FELICIA : That's a magazine.
AYUB : Is this your magazine?
FELICIA : Yes, that's my magazine.

**Tahu* means 'to know', 'to recognize'. *Tahukah Saudara ...?* means 'Do you know ...?' *Tahu* should be differentiated from *tauhu*, 'soya bean curd'.

Adakah Ini Sebuah Kamus?

JUNID : *Adakah ini sebuah kamus?*
MANSUR : *Ya, itu sebuah kamus.*
JUNID : *Kamus itu milik* Saudarakah?*
MANSUR : *Ya, kamus itu milik saya.*
JUNID : *Di mana kamus saya?*
MANSUR : *Kamus Saudara di atas meja.*
JUNID : *Bagaimana Saudara tahu?*
MANSUR : *Sayalah yang meletak kamus Saudara di situ.*

Is This A Dictionary?

JUNID : Is this a dictionary?
MANSUR : Yes, this is a dictionary.
JUNID : Is the dictionary yours?
MANSUR : Yes, the dictionary is mine.
JUNID : Where is my dictionary?
MANSUR : Your dictionary is on the table.
JUNID : How do you know?
MANSUR : I put it there.

**Milik* means 'possession'. *Saudara memiliki rumah?*, 'Do you own a house?'.

Itu Basikal Siapa?

EDDY : *Itu basikal siapa, John?*
JOHN : *Itu basikal Peter.*
EDDY : *Peter, siapakah Peter?*
JOHN : *Peter itu kawan saya.*
EDDY : *Di mana basikal Anda?*
JOHN : *Basikal saya hilang.*
EDDY : *Bila?*
JOHN : *Dua hari yang lalu.*
EDDY : *Kasihan.*

Whose Bicycle Is That?

EDDY : Whose bicycle is that, John?
JOHN : That's Peter's bicycle.
EDDY : Peter, who is Peter?
JOHN : Peter is my friend.
EDDY : Where is your bicycle?
JOHN : I lost it.
EDDY : When (did you lose it)?
JOHN : Two days ago.
EDDY : Poor chap.

Itu Kad Jemputankah?*

A : *Awak tahu ini apa?*
B : *Saya tidak tahu.*
A : *Adakah ini surat?*
B : *Bukan, itu bukan surat.*
A : *Itu kad jemputankah?*
B : *Betul*, itu kad jemputan.*
A : *Siapa yang mengirim kad jemputan itu?*
B : *Pengarah sebuah syarikat.*

Is That An Invitation Card?

A : Do you know what's this?
B : I don't know.
A : Is it a letter?
B : No, that's not a letter.
A : Is it an invitation card?
B : Yes, that's an invitation card?
A : Who sent you the invitation card?
B : The director of a company.

**Jemputan* is a synonym of *undangan* in this context.
**Betul*, 'right', 'correct' or 'true'. *Kebetulan*, 'accidentally'.

Milik Siapakah Fail Ini?

A : *Milik siapakah fail ini?*
B : *Yang* mana?*
A : *Yang merah itu.*
B : *Oh, itu kepunyaan Sandy.*
A : *Yang mana milik anda?*
B : *Yang biru itu.*
A : *Di mana fail saya?*
B : *Di dalam laci.*

Whose File Is This?

A : Whose file is this?
B : Which one?
A : The red one.
B : Oh, that's Sandy's.
A : Which one is yours?
B : The blue one.
A : Where is my file?
B : In the drawer.

**Yang* is a relative pronoun which can be used to translate 'which', 'who', 'whom' and 'that'.

Beg Awak Itu Mahalkah?

NORLIA : *Roseline, awak ada beg?*
ROSELINE : *Ya, ada. Mengapa?*
NORLIA : *Beg awak itu barukah?*
ROSELINE : *Ya, beg saya masih baru. Saya baru membelinya minggu lepas.*
NORLIA : *Beg awak itu mahalkah?*
ROSELINE : *Beg saya tidak mahal. Beg saya murah saja.*
NORLIA : *Bolehkah saya pinjam beg awak? Hanya untuk satu malam saja.*
ROSELINE : *Pinjamlah, kalau awak perlu menggunakannya.*

Is Your Bag Expensive?

NORLIA : Roseline, do you have a bag?
ROSELINE : Yes, I do. Why?
NORLIA : Is your bag new?
ROSELINE : Yes, my bag is new. I bought it last week.
NORLIA : Is your bag expensive?
ROSELINE : No, my bag is not expensive. My bag is cheap.
NORLIA : May I borrow your bag? Just for one night.
ROSELINE : Please do so, if you need to use it.

Cuba Saudara Sebut Benda ...

A : *Cuba Saudara sebut benda-benda yang ada di dalam bilik ini?*
B : *Di dalam bilik ada kerusi*[*]*, meja dan buku.*
A : *Ada lagi?*
B : *Papan hitam, almari dan kipas angin.*
A : *Ada lagi?*
B : *Lampu, gambar, pintu dan tingkap.*
A : *Masih ada lagi?*
B : *Tidak ada lagi.*

Please Mention The Things ...

A : Please mention the things that are in this room.
B : There are chairs, tables and books in this room.
A : Anything else?
B : There is a blackboard, a cupboard and a fan.
A : Anything else?
B : There is a lamp, a picture, a door and a window.
A : Anything more?
B : No more.

[*]*Kerusi* may be singular or plural. If the noun is in the plural form, you usually repeat it, e.g. *kerusi* (a chair): *kerusi-kerusi* (chairs), *meja* (a table): *meja-meja* (tables), *buku* (a book): *buku-buku* (books).

7

TIME, DAYS AND DATES

Pukul Berapa Saudara Bangun?

RASHID : *Leonard, pukul berapa Saudara bangun setiap pagi?*
LEONARD : *Setiap pagi saya bangun pada pukul enam.*
RASHID : *Pukul berapa Saudara pergi ke pejabat?*
LEONARD : *Saya pergi ke pejabat pada pukul lapan.*
RASHID : *Pukul berapa Saudara mulai bekerja?*
LEONARD : *Saya mulai bekerja pada pukul 8.30 (lapan setengah) pagi.*
RASHID : *Saudara bekerja hingga pukul berapa?*
LEONARD : *Saya bekerja hingga pukul 4.30 (empat setengah) petang.*
RASHID : *Berapa jamkah Saudara bekerja dalam sehari?*
LEONARD : *Lapan jam.*

What Time Do You Get Up?

RASHID : Leonard, what time do you get up every morning?
LEONARD : I get up at six o'clock every morning.
RASHID : What time do you go to your office?
LEONARD : I go to the office at eight o'clock.
RASHID : What time do you start work?
LEONARD : I start work at 8.30 a.m.
RASHID : What time do you work until?
LEONARD : I work until 4.30 p.m.
RASHID : How many hours do you work every day?
LEONARD : Eight hours.

Sekarang Pukul Berapa?

FARIDAH : *Samantha, sekarang pukul berapa?*
SAMANTHA : *Sekarang sudah pukul 2.45 (dua empat puluh lima minit) petang.*
FARIDAH : *Lagi berapa minitkah pukul tiga?*
SAMANTHA : *Lagi lima belas minit.*
FARIDAH : *Adakah jam Anda itu cepat? Jam saya baru menunjukkan pukul dua.*
SAMANTHA : *Saya fikir jam saya tepat. Jam Anda yang lambat barangkali. Ada apa?*
FARIDAH : *Saya ada mesyuarat pukul 3.45 (tiga empat puluh lima minit) petang.*
SAMANTHA : *Kalau begitu, cepatlah bersiap supaya Anda tidak terlambat.*

What's The Time Now?

FARIDAH : Samantha, what's the time now?
SAMANTHA : It's already 2.45 p.m.
FARIDAH : How many minutes more is it to three o'clock?
SAMANTHA : About 15 minutes.
FARIDAH : Is your watch fast? My watch says two o'clock.
SAMANTHA : I think my watch is accurate. Perhaps your watch is slow. What's the matter?
FARIDAH : I have a meeting at a quarter to four.
SAMANTHA : If that's the case, you'd better get ready so that you won't be late.

Pukul Berapa Jam[*] Saudara?

ABDUL : *Tan, Saudara terlambat lima minit. Pukul berapa jam Saudara sekarang?*
TAN : *Jam saya sekarang menunjukkan pukul 8.05 (lapan lima minit) pagi.*
ABDUL : *Pukul berapa sepatutnya Saudara berada di sini?*
TAN : *Saya sepatutnya berada di sini pukul 8.00 (lapan) tepat.*
ABDUL : *Sebaiknya Saudara sudah berada di sini, lima minit sebelum pukul lapan, atau ....*
TAN : *Atau pukul 7.55 (tujuh lima puluh lima) minit.*
ABDUL : *Bagus, sekarang Saudara sudah pandai menyebutkan waktu dalam bahasa Melayu.*

What Is The Time Now According To Your Watch?

ABDUL : Tan, you are five minutes late. What is the time now according to your watch?
TAN : It is five past eight.
ABDUL : At what time should you be here?
TAN : I must be here at eight o'clock sharp.
ABDUL : It is best that you are here five to eight or ....
TAN : Seven fifty-five.
ABDUL : Good. You are good at telling the time in Malay now.

[*]*Jam*, 'watch', 'clock'; 'hour'. *Jam tangan* is 'wrist-watch'. *Jam berapa?*, 'What is the time?'

Tanggal, an Indonesian word for *haribulan* is increasingly being used.

Pukul Berapa Keretapi Bertolak?

RAZALI : *Keretapi sudah tibakah?*
MAMAT : *Belum, Encik.*
RAZALI : *Pukul berapa keretapi bertolak?*
MAMAT : *Biasanya pukul 9.30 (sembilan tiga puluh) pagi, Encik.*
RAZALI : *Kalau begitu sebentar lagi. Mari kita minum kopi dulu di restoran itu.*
MAMAT : *Baik, Encik. Terima kasih.*

When Will The Train Depart?

RAZALI : Has the train arrived yet?
MAMAT : Not yet, sir.
RAZALI : When will the train depart?
MAMAT : Usually at 9.30 a.m., sir.
RAZALI : It'll depart in a short while then. Let's drink a cup of coffee in the restaurant.
MAMAT : All right, sir. Thank you.

Pukul Berapa Isteri Tuan Akan Sampai?

HARUN : *Selamat pagi, Tuan Smith.*
SMITH : *Selamat pagi, Encik Harun.*
HARUN : *Tuan mahu pergi ke mana pagi ini?*
SMITH : *Saya mahu pergi ke lapangan terbang. Saya hendak mengambil isteri saya yang datang dari England.*
HARUN : *Pukul berapa isteri Tuan akan sampai?*
SMITH : *Kira-kira pukul 8.30 (lapan tiga puluh) pagi.*
HARUN : *Oh, sekarang sudah pukul 8.00 (lapan).*
SMITH : *Saya minta diri dulu, Encik Harun.*

When Will Your Wife Arrive?

HARUN : Good morning, Mr. Smith.
SMITH : Good morning, Mr. Harun.
HARUN : Where are you going this morning?
SMITH : I am going to the airport. I am fetching my wife who is arriving from England.
HARUN : When will your wife arrive?
SMITH : At about eight o'clock.
HARUN : Oh, now it's already eight.
SMITH : Excuse me, Mr. Harun.

Hari Ini Hari Apa?

SAMAT : *Michael, hari ini hari apa?*
MICHAEL : *Hari ini hari Isnin.*
SAMAT : *Semalam*[*]*, hari apa?*
MICHAEL : *Semalam hari Minggu.*
SAMAT : *Esok, hari apa?*
MICHAEL : *Esok hari Selasa.*
SAMAT : *Lusa, hari apa?*
MICHAEL : *Lusa hari Rabu.*
SAMAT : *Kelmarin*[**] *hari apa?*
MICHAEL : *Kelmarin hari Sabtu.*

What Day Is Today?

SAMAT : Michael, what day is today?
MICHAEL : Today is Monday.
SAMAT : What day was yesterday?
MICHAEL : Yesterday was Sunday.
SAMAT : What day will it be tomorrow?
MICHAEL : Tomorrow will be Tuesday.
SAMAT : What day will it be the day after tomorrow?
MICHAEL : The day after tomorrow will be Wednesday.
SAMAT : What was the day before yesterday?
MICHAEL : The day before yesterday was Saturday.

[*]Please note that in the Johor-Riau Malay, *semalam* is generally used as 'yesterday'. For clarity, *hari semalam* is used as 'yesterday' and *malam semalam* is used as 'last night'.
[**]*Kelmarin* means 'day before yesterday'. Due to Indonesian influence, it is sometimes used to mean 'yesterday' as a synonym of *kemarin*.

Tahukah Saudari ...?

HASNAH : *Shirley, tahukah Saudari seminggu ada berapa hari?*
SHIRLEY : *Tahu. Seminggu ada tujuh hari.*
HASNAH : *Tahukah Saudari nama-nama hari dalam bahasa Melayu?*
SHIRLEY : *Sudah tentu.*
HASNAH : *Hari ini hari apa?*
SHIRLEY : *Hari ini hari Jumaat.*
HASNAH : *Esok hari apa?*
SHIRLEY : *Esok hari Sabtu.*
HASNAH : *Cuba Saudari sebutkan nama-nama hari dalam seminggu.*
SHIRLEY : *Baiklah. Hari Ahad, Isnin, Selasa, Rabu, Khamis, Jumaat dan Sabtu.*

Do You Know ...?

HASNAH : Shirley, do you know how many days are there in a week?
SHIRLEY : Yes, I know. There are seven days of the week.
HASNAH : Do you know the names of the days of the week in Malay?
SHIRLEY : Of course, I do.
HASNAH : What day is today?
SHIRLEY : Today is Friday
HASNAH : What day is tomorrow?
SHIRLEY : Tomorrow is Saturday.
HASNAH : Please say the names of the days of the week.
SHIRLEY : O.K. They are Sunday, Monday, Tuesday, Wednesday, Thursday, Friday and Saturday.

Ada Berapa Minggukah Dalam Sebulan?

HUSSIN : *Jane, ada berapa minggukah dalam sebulan?*
JANE : *Sebulan ada empat minggu.*
HUSSIN : *Ada berapa hari dalam seminggu?*
JANE : *Seminggu ada tujuh hari.*
HUSSIN : *4 × 7 = 28 (empat kali tujuh jadi dua puluh lapan). Jadi, sebulan ada dua puluh lapan hari, betul?*
JANE : *Tidak betul. Bulan Februari memang ada dua puluh lapan hari. Bulan-bulan yang lain, ada yang tiga puluh hari dan ada yang tiga puluh satu hari.*
HUSSIN : *Ada berapa hari dalam setahun?*
JANE : *365 (tiga ratus enam puluh lima) hari.*

How Many Weeks Are There In A Month?

HUSSIN : Jane, how many weeks are there in a month?
JANE : There are four weeks in a month.
HUSSIN : How many days are there in a week?
JANE : There are seven days in a week.
HUSSIN : 4 × 7 = 28. So there are 28 days in a month, isn't that right?
JANE : No, it is not so. It is true that February has 28 days. But as for the other months, some have 30 days and some have 31 days.
HUSSIN : How many days are there in a year?
JANE : 365 days.

Hari Ini Berapa Haribulan?*

SARINAH : *Hari ini berapa haribulan?*
JANE : *Hari ini 5 haribulan Mac.*
SARINAH : *Bilakah hari jadi awak?*
JANE : *Tiga puluh satu Ogos.*
SARINAH : *Tahun berapa?*
JANE : *Tahun seribu sembilan ratus enam puluh tiga (1963).*
SARINAH : *Jane, tahukah awak bahawa awak lahir pada suatu hari yang penting?*
JANE : *Saya lahir pada suatu hari yang penting?*
SARINAH : *Tiga puluh satu haribulan Ogos tahun seribu sembilan ratus enam puluh tiga (1963) adalah hari tertubuhnya Malaysia.*
JANE : *Oh ya, saya hampir lupa hari yang penting ini.*

What Date Is Today?

SARINAH : What date is today?
JANE : Today is the 5th of March.
SARINAH : When is your birthday?
JANE : The 31st of August.
SARINAH : Which year?
JANE : 1963.
SARINAH : Jane, do you know you were born on an important day?
JANE : I was born on an important day?
SARINAH : 31st August, 1963 was the day of the formation of Malaysia.
JANE : Oh yes, I have almost forgotten this important day.

**Bulan* means ‘month’ as well as ‘moon’. *Bulan Puasa* is ‘Fasting Month’ and *Berapa haribulan?* is ‘What date?’

Ada Berapa Bulankah Dalam Setahun?

RAZAK : *Irene, ada berapa bulankah dalam setahun?*
IRENE : *Setahun ada dua belas bulan.*
RAZAK : *Bulan yang keberapakah bulan Mac, Irene?*
IRENE : *Bulan Mac itu bulan yang ketiga.*
RAZAK : *Bulan yang pertama, bulan apa?*
IRENE : *Bulan yang pertama, bulan Januari.*
RAZAK : *Cuba* awak sebutkan nama-nama bulan dalam setahun.*
IRENE : *Bulan Januari, Februari, Mac, April, Mei, Jun, Julai, Ogos, September, Oktober, November dan Disember.*
RAZAK : *Awak sudah menyebutkannya dengan baik.*

How Many Months Are There In a Year?

RAZAK : How many months are there in a year?
IRENE : There are twelve months in a year.
RAZAK : Which month is March?
IRENE : March is the third month.
RAZAK : What is the first month?
IRENE : The first month is January.
RAZAK : Please state the names of the months in the year.
IRENE : January, February, March, April, May, June, July, August, September, October, November and December.
RAZAK : You have said them very well.

**Cuba* (literally, 'try') is a request, especially to one's junior, to do something. This is one way of saying 'please' in Malay. 'Please read once more' is *Cuba baca sekali lagi. Tolong*, 'help', can sometimes be used in its place.

Tahun Berapakah Sekarang?

KAMIL : *Andrew, bilakah Saudara lahir?*
ANDREW : *Saya lahir tahun 1960 (seribu sembilan ratus enam puluh).*
KAMIL : *Saudara dibesarkan di mana?*
ANDREW : *Saya dibesarkan di Singapura.*
KAMIL : *Bilakah Saudara tiba di Kuala Lumpur?*
ANDREW : *Tahun 1980 (seribu sembilan ratus lapan puluh).*
KAMIL : *Sudah berapa tahun Saudara tinggal di kota ini?*
ANDREW : *Tahun berapakah sekarang?*
KAMIL : *Sekarang tahun 1992 (seribu sembilan ratus sembilan puluh dua).*
ANDREW : *Kalau begitu, saya sudah dua belas tahun tinggal di Kuala Lumpur.*

What Year Is It Now?

KAMIL : Andrew, when were you born?
ANDREW : I was born in 1960.
KAMIL : Where did you grow up in?
ANDREW : I grew up in Singapore.
KAMIL : When did you arrive in Kuala Lumpur?
ANDREW : In 1980.
KAMIL : How many years have you been living in this city?
ANDREW : What year is it now?
KAMIL : It is now 1992.
ANDREW : In that case, I have been living in Kuala Lumpur for twelve years.

Pukul Berapa Mesyuarat Dimulakan?

YATI : *Maaf, Tuan. Hari ini ada mesyuarat.*
KAMARUL : *Pukul berapa mesyuarat dimulakan?*
YATI : *Pukul 9.00 (sembilan), Tuan.*
KAMARUL : *Sekarang pukul berapa?*
YATI : *Sekarang sudah pukul 8.45 (lapan empat puluh lima), Tuan.*
KAMARUL : *Tinggal suku jam lagi.*
YATI : *Ya, Tuan. Lima belas minit lagi.*
KAMARUL : *Mesyuarat apa hari ini?*
YATI : *Maaf, saya tidak tahu.*
KAMARUL : *Baiklah. Saya pergi mesyuarat dulu.*
YATI : *Selamat, Tuan.*

What Time Will The Meeting Begin?

YATI : Excuse me, sir. There's a meeting today.
KAMARUL : What time will the meeting begin?
YATI : At nine o'clock.
KAMARUL : What's the time now?
YATI : Now it is 8.45, sir.
KAMARUL : There's still a quarter of an hour left.
YATI : Yes, sir. There are still fifteen minutes.
KAMARUL : What kind of meeting is it today?
YATI : I'm sorry, sir, I don't know.
KAMARUL : All right. I'll just go for the meeting.
YATI : Best of luck, sir.

*Apa Yang Hendak Saudara Buat Hari Ini?**

ANTHONY : *Apa yang hendak Saudara buat hari ini?*
JALIL : *Hari ini hari apa?*
ANTHONY : *Hari ini hari Jumaat.*
JALIL : *Saya hendak sembahyang di masjid hari ini.*
ANTHONY : *Hujung minggu ini?*
JALIL : *Hujung minggu saya mahu menghadiri majlis perkahwinan anak saudara saya di Johor Bahru.*
ANTHONY : *Lepas itu?*
JALIL : *Lepas itu mungkin saya akan ke pasar serbaneka untuk membeli barang-barang keperluan dapur. Mengapa Saudara bertanya begitu banyak?*
ANTHONY : *Tidak ada apa-apa. Cuma ingin tahu kegiatan Saudara saja.*

What Are You Going To Do Today?

ANTHONY : What are you going to do today?
JALIL : What day is today?
ANTHONY : Today is Friday.
JALIL : I must pray in the mosque today.
ANTHONY : This weekend?
JALIL : This weekend I want to attend my nephew's wedding in Johor Bahru.
ANTHONY : After that?
JALIL : After that, I'll go to the supermarket to buy some groceries. Why do you ask so many questions?
ANTHONY : Nothing. Just want to know about your activities.

Kedai Encik Buka Sampai ...?

A : *Boleh saya tolong, Encik?*
B : *Ya, kedai ini buka sampai pukul berapa?*
A : *Biasanya kami buka sampai pukul enam petang. Kalau hujung minggu sampai pukul sembilan.*
B : *Hari Minggu buka tak?*
A : *Tidak, kami tutup pada hari Minggu.*
B : *Besok, Encik tentu buka bukan?*
A : *Tidak, besok kami tutup.*
B : *Mengapa?*
A : *Besok adalah Maal Hijrah, hari pertama kalendar Islam, atau Hari Tahun Baharu Islam.*

How Late Does Your Shop Open Until?

A : May I help you, sir?
B : Yes, how late does your shop open until?
A : Usually we are open till six. On weekends, it is till nine.
B : Do you open on Sunday?
A : No, we are closed on Sunday.
B : You will certainly be open tomorrow, right?
A : No, we are closed.
B : Why?
A : Tomorrow is Maal Hijrah, the first day of the Muslim calendar or the Islamic New Year's Day.

8

HOBBIES AND LEISURE

Apakah Kegemaran Saudara?*

AMIN : *Bill, apakah kegemaran Saudara?*
BILL : *Saya suka membaca?*
AMIN : *Saudara suka baca apa?*
BILL : *Saya suka membaca majalah, suratkhabar dan cerita rekaan.*
AMIN : *Dalam bahasa Melayu?*
BILL : *Tidak. Dalam bahasa Inggeris.*
AMIN : *Mengapa tidak dalam bahasa Melayu?*
BILL : *Bahasa Melayu saya masih lemah. Kalau bahasa Melayu saya sudah baik, saya tentu membaca buku dalam bahasa Melayu.*

What Are Your Hobbies?

AMIN : Bill, what are your hobbies?
BILL : I like to read.
AMIN : What do you like to read?
BILL : I like to read magazines, newspapers and fiction.
AMIN : In Malay?
BILL : No, in English.
AMIN : Why not in Malay?
BILL : My Malay is still weak. When my Malay is better, I'll certainly read books in Malay.

**Gemar*, 'to be fond of'. *Kegemaran*, 'hobby', is interchangeable with *kesukaan*.

Permainan Apa Yang Paling Saudara Suka?

KAMAL : *Saudara suka berolahraga?*
SAMSUDIN : *Suka sekali.*
KAMAL : *Permainan apa yang paling Saudara suka?*
SAMSUDIN : *Saya suka bermain badminton.*
KAMAL : *Pandaikah Saudara bermain badminton?*
SAMSUDIN : *Tidak. Saya baharu mulai belajar.*
KAMAL : *Siapakah jadi juara badminton dalam Sukan Asia baru-baru ini?*
SAMSUDIN : *Kalau tak salah, regu China.*
KAMAL : *Bagaimana permainan Malaysia?*
SAMSUDIN : *Permainan Malaysia cukup bagus, tapi tidak mendapat apa-apa pingat.*

What Kind Of Games Do You Like Most?

KAMAL : Do you like to take part in sports?
SAMSUDIN : Very much.
KAMAL : What kind of games do you like most?
SAMSUDIN : I like to play badminton.
KAMAL : Are you good at playing badminton?
SAMSUDIN : No. I've just started learning.
KAMAL : Who was the badminton champion in the recent Asian Games?
SAMSUDIN : If I'm not mistaken, China.
KAMAL : How was Malaysia's performance?
SAMSUDIN : Malaysia's performance was quite good, but it did not get any medals.

Di Manakah Tuan Bermain Tenis?

SAHARI : *Ke manakah Tuan kelmarin**?
SIOW : *Saya bermain tenis.*
SAHARI : *Tuan bermain tenis?*
SIOW : *Benar. Saya baru mulai sebulan yang lalu.*
SAHARI : *Di manakah Tuan bermain tenis?*
SIOW : *Di Shah Alam. Saya jadi anggota*** *sebuah kelab tenis.*
SAHARI : *Bolehkah saya ikut?*
SIOW : *Boleh, apa salahnya?*
SAHARI : *Minggu depan saya ikut Tuan.*

Where Do You Play Tennis?

SAHARI : Where did you go yesterday?
SIOW : I played tennis.
SAHARI : You played tennis?
SIOW : Yes. I started a month ago.
SAHARI : Where do you play tennis?
SIOW : At Shah Alam. I've become a member of a tennis club.
SAHARI : May I come along?
SIOW : Sure, why not?
SAHARI : Next week I will go with you.

*Please note that *kelmarin* may mean 'the day before yesterday'.
***Anggota*, 'member'. Another more commonly used word for 'member' is *ahli,* which also means 'expert'.

Saudara Buat Apa ...?

ZAINAL : *Saudara Albert, apakah kegemaran Saudara?*
ALBERT : *Apa yang Saudara maksudkan?*
ZAINAL : *Maksud saya, Saudara buat apa pada masa lapang?*
ALBERT : *Oh bermacam-macam.*
ZAINAL : *Misalnya?*
ALBERT : *Misalnya saya membaca, menonton televisyen dan menulis surat.*
ZAINAL : *Menulis surat?*
ALBERT : *Ya, menulis surat. Menulis surat itu salah satu kegemaran saya.*

What Do You Do ...?

ZAINAL : Albert, what are your hobbies?
ALBERT : What do you mean?
ZAINAL : I mean what do you do in your free time?
ALBERT : All sorts of things.
ZAINAL : For example?
ALBERT : For example, I read, watch television and write letters.
ZAINAL : Write letters?
ALBERT : Yes, write letters. Writing letters is one of my hobbies.

Awak Hendak Ke Mana?

SAMSURI : *Awak hendak ke mana petang ini, Loh?*
LOH : *Tidak ke mana-mana.*
SAMSURI : *Mahukah awak menemani saya menonton*[*]*?*
LOH : *Menonton? Boleh juga.*
SAMSURI : *Kita menonton petang ini, pukul 6.00 (enam).*
LOH : *Di mana, Tuan?*
SAMSURI : *Di pawagam*[**] *Lido.*
LOH : *Filem apa?*
SAMSURI : *Filem Melayu.*
LOH : *Oh, bagus sekali. Saya suka menonton filem Melayu.*

Where Are You Going?

SAMSURI : Where are you going this evening, Loh?
LOH : Not going anywhere.
SAMSURI : Would you like to accompany me to a show?
LOH : Going for a show? Yes, certainly.
SAMSURI : We can watch the show this evening, at six o'clock.
LOH : Where?
SAMSURI : At the Lido Theatre.
LOH : What kind of film is it?
SAMSURI : A Malay film.
LOH : Oh, wonderful. I like to watch Malay films.

[*]In colloquial Malay, *menengok* (*tengok*) is often used as a synonym of *menonton* (*tonton*).
[**]*Pawagam* is an abbreviation of *panggung wayang gambar*, 'theatre'.

Filem Tadi Sungguh Bagus

ALI : *Loh, filem tadi sungguh bagus. Ceritanya bagus. Tapi tahukah awak di mana ada tandas* di sini?*
LOH : *Oh, ya. Di sana. Awak jalan terus sampai di hujung lorong ini, kemudian belok kiri. Awak akan nampak tulisan Tandas di situ.*
ALI : *Tunggu saya di sini. Jangan ke mana-mana.*
LOH : *Baiklah. Kalau begitu, biarlah saya mengambil kereta di tempat letak kereta.*
ALI : *Oh, ya. Ini kuncinya. Kalau begitu tunggu saya di depan bangunan ini, ya?*
LOH : *Baiklah. Saya tunggu awak di depan bangunan ini.*

The Film Was Very Good

ALI : Loh, the film was very good. The story was good, too. Do you know where the toilet is?
LOH : Oh, yes. It's there. Go straight till the end of this lane, then turn left. You will see the toilet sign there.
ALI : Wait for me here. Don't go anywhere.
LOH : All right. In that case, I'd better fetch the car from the car park.
ALI: Oh yes. Here is the key. Wait for me in front of the building.
LOH : All right. I'll wait for you in front of the building.

*You may hear people use *jamban* for 'toilet' in colloquial Malay.

Pernahkah Saudara Pergi Menonton?

LAM : *Clara, pernahkah Saudara pergi menonton baru-baru ini?*
CLARA : *Tidak. Ada filem yang baguskah?*
LAM : *Ya, ada. Ada filem Indonesia yang bagus.*
CLARA : *Apa judul filem itu?*
LAM : Sangkuriang.
CLARA : *Bagaimana ceritanya?*
LAM : *Ceritanya tentang seorang anak raja, Sangkuriang, yang membunuh ayahnya. Kemudian ia jatuh cinta pula pada ibunya sendiri.*
CLARA : *Jadikah mereka berkahwin?*
LAM : *Tidak, perahu yang dibuat anak raja itu tertangkup. Di Bandung masih ada tempat yang bernama 'Tangkuban Perahu' untuk menarik para pelancong.*

Have You Been To The Cinema?

LAM : Clara, have you been to the cinema recently?
CLARA : No. Are there any good films on?
LAM : Yes. There is a good Indonesian film.
CLARA : What is the name of the film.
LAM : *Sangkuriang.*
CLARA : What's the story about?
LAM : It is about a prince, Sangkuriang, who killed his father. Later, he fell in love with his own mother.
CLARA : Did they manage to get married?
LAM : No. A boat which he made overturned. In Bandung, there is still a tourist attraction called 'The Overturned Boat'.

Apakah Rancangan Saudara ...?

A : *Apakah rancangan Saudara untuk cuti tahun ini?*
B : *Saya masih belum ada rancangan. Bagaimana dengan Saudara?*
A : *Kalau dapat, saya ingin pergi ke luar negeri untuk bercuti.*
B : *Saya sebenarnya ingin juga keluar negeri bercuti, kalau ....*
A : *Kalau apa?*
B : *Kalau saya mendapat kenaikan* gaji.*
A : *Adakah Saudara mengharapkannya?*
B : *Ya. Saya akan kecewa jika tidak mendapat kenaikan gaji.*

What's Your Plan ...?

A : What's your plan for the holidays this year?
B : I don't have any plan yet. What about you?
A : If possible, I want to go abroad for a holiday.
B : I want to go abroad for a holiday, too, if ....
A : If what?
B : If I get a pay raise.
A : Are you expecting it?
B : Yes. I'll be disappointed if I don't get a pay raise.

**Naik*, 'rise, increase'. *Kenaikan*, 'a raise'. In colloquial Malay, it is sometimes used in the sense of 'by'. *Dia datang naik teksi*, 'He came by taxi'.

Bagaimana Dengan Perjalanan Saudara?

A : *Helo, Saudara Burhan, selamat kembali.*
B : *Selamat berjumpa lagi.*
A : *Bagaimana dengan perjalanan Saudara?*
B : *Sangat menarik** *tetapi ....*
A : *Tetapi apa?*
B : *Banyak menghabiskan wang.*
A : *Berapa banyak wang yang Saudara habiskan untuk perjalanan itu?*
B : *Cukup banyak. Jangan tanya jumlahnya.*

How Was Your Trip?

A : Hello, Mr. Burhan, welcome back.
B : Nice to see you again.
A : How was your trip?
B : Very interesting but ....
A : But what?
B : It cost me a fortune.
A : How much did you spend on the trip?
B : A lot. Don't ask about the sum.

**Menarik* (attractive or interesting) from *tarik,* which literally means 'pull' or 'attract'.

9

FOOD AND RESTAURANTS

Tuan Mahu Sarapan Apa?*

ISMAIL : *Tuan mahu sarapan apa hari ini?*
FRANKIE : *Saya ingin makan nasi goreng. Anda boleh membuat nasi goreng?*
ISMAIL : *Boleh, Tuan.*
FRANKIE : *Buatkan saya nasi goreng dengan dua 'telur mata lembu'**. Tapi jangan terlalu pedas.*
ISMAIL : *Sukakah Tuan makan telur setengah masak dengan madu?*
FRANKIE : *Suka juga, tapi saya tidak berani makan telur terlalu banyak. Saya minta kopi saja.*
ISMAIL : *Dengan susu?*
FRANKIE : *Ya, dengan susu.*
ISMAIL : *Baik, Tuan.*

What Do You Want For Breakfast?

ISMAIL : What do you want for breakfast today, sir?
FRANKIE : I would like to eat fried rice. Can you prepare fried rice?
ISMAIL : Yes, sir.
FRANKIE : Prepare me fried rice with two fried eggs. But don't make it too hot.
ISMAIL : Do you like to eat half-boiled eggs with honey?
FRANKIE : I like it, but I dare not eat too many eggs. Make me a cup of coffee.
ISMAIL : With milk, sir?
FRANKIE : Yes, with milk.
ISMAIL : OK, sir.

[*]Another word for 'breakfast' is *makan pagi*.
[**]*Telur mata lembu'*, 'bull's-eye egg', is a local expression meaning 'fried egg'.

Apakah Bahan-bahan Untuk Masakan Ini?

CHARLES : *Ali, apakah bahan-bahan untuk masakan ini?*
ALI : *Garam, lada putih, bawang dan sedikit gula.*
CHARLES : *Apakah tidak dibubuh bawang putih?*
ALI : *Tidak usah**. *Tanpa bawang putih pun sudah sedap. Sekarang cuba rasa.*
CHARLES : *Rasanya kurang garam sedikit.*
ALI : *Kalau begitu, tolong tambah sedikit lagi. Bagaimana rasanya sekarang?*
CHARLES : *Sedap sekali. Masakannya tidak terlalu pedas.*
ALI : *Saya sendiri juga tidak suka makanan yang terlalu pedas.*

What Are the Ingredients For This Food?

CHARLES : Ali, what are the ingredients for this food?
ALI : Salt, pepper, onion and a little sugar.
CHARLES : Don't you use garlic?
ALI : It's not necessary. Even without garlic it's (already) delicious. Please taste it.
CHARLES : It needs a little salt.
ALI : If so, please add a little more. How is the taste now?
CHARLES : Delicious. The food is not too hot.
ALI : Really? I myself do not like food which is too hot.

**Tidak usah* is often shortened to *tak usah* (there is no need) in speech and is interchangeable with *tak payah* (don't take the trouble to).

Mem Mahu Masak Apa?

JANE : *Mak Limah, saya mahu belajar masak. Esok kita cuba.*

MAK LIMAH : *Baik, Mem. Nanti saya belikan bahan-bahannya di pasar. Mem mahu masak apa?*

JANE : *Saya mahu masak pecal, rendang, dan sayur goreng.*

MAK LIMAH : *Kalau boleh saya cadangkan, Mem pilih satu dulu.*

JANE : *Saya pilih sayur goreng.*

MAK LIMAH : *Bahan-bahannya ialah sayur, lada merah, belacan, bawang merah, garam dan minyak masak.*

JANE : *Bagaimana cara memasaknya?*

MAK LIMAH : *Gilingkan lada, belacan, bawang merah dan garam sampai halus. Panaskan sedikit minyak masak. Tumis bahan-bahan giling itu. Akhir sekali masukkan sayur.*

JANE : *Itu saja?*

MAK LIMAH : *Itu saja. Tidak susah, bukan*?*

What Do You Want To Cook?

JANE : Mak Limah, I want to learn cooking. Let's try tomorrow.

MAK LIMAH : Yes, Ma'am. I'll buy the ingredients in the market. What do you want to cook?

JANE : I want to cook vegetables with peanut sauce, spicy meat and fried vegetables.

MAK LIMAH : May I suggest that you choose one dish first?

JANE : I choose fried vegetables.

MAK LIMAH	:	The ingredients are vegetables, red chilli, shrimp paste, red onions, salt and cooking oil.
JANE	:	How do you cook it?
MAK LIMAH	:	Grind the chilli, shrimp paste, onions and salt together until very fine. Heat the oil and fry the ground ingredients. Lastly, put in the vegetables.
JANE	:	That's all?
MAK LIMAH	:	Yes, that's all. It isn't difficult, is it?

**Bukan* is often used to ask the listener to agree to what has been said. It means 'It is not?' E.g. *Itu mudah, bukan?*, 'That's easy, isn't it?' Or 'Is it?', as in *Tidak mudah, bukan?*, 'That's not difficult, is it?'. It is often shortened to *-kan*.

Di Manakah Restoran?

SALEH : *Maafkan saya, Encik.*
YASIN : *Ya, apa yang boleh saya tolong?*
SALEH : *Bolehkah saya tumpang* bertanya?*
YASIN : *Tentang apa, ya?*
SALEH : *Di manakah restoran yang terdekat di sini?*
YASIN : *Oh, restoran. Saudara naik bangunan ini, sampai lantai** enam.*
SALEH : *Apakah di lantai enam itu semuanya restoran?*
YASIN : *Di sana ada beberapa restoran. Saudara boleh pilih.*
SALEH : *Terima kasih, Encik.*
YASIN : *Sama-sama.*

Where Is The Restaurant?

SALEH : Excuse me, sir.
YASIN : Yes, what can I do for you?
SALEH : May I ask you something?
YASIN : About what?
SALEH : Where is the nearest restaurant from here?
YASIN : Oh, a restaurant. You go up this building till you reach the sixth floor.
SALEH : Are all restaurants on the sixth floor?
YASIN : There are a few restaurants there. You can choose.
SALEH : Thank you, sir.
YASIN : You are welcome.

**Tumpang* means 'to get a ride' or 'to stay with someone'. *Tumpang tanya* or *Tumpang bertanya* is often used in asking questions, especially to a stranger.
***Tingkat* is often used as a synonym of *lantai*.

Encik Mahu Pesan Apa?

PELAYAN : *Selamat malam, Encik. Silakan masuk.*
MICHAEL : *Selamat malam. Terima kasih.*
PELAYAN : *Silakan duduk**. *Ini menu hari ini. Encik mahu pesan apa?*
MICHAEL : *Saya mahu satu pinggan sate ayam, lontong dan gado-gado.*
PELAYAN : *Apa lagi, Encik?*
MICHAEL : *Sudah, itu saja.*
PELAYAN : *Encik mahu minum apa?*
MICHAEL : *Secawan kopi susu, jangan terlalu manis.*
PELAYAN : *Baik, Encik.*

What Would You Like To Order?

WAITER : Good evening, sir. Please come in.
MICHAEL : Good evening. Thank you.
WAITER : Please sit down. Here is today's menu. What would you like to order?
MICHAEL : I wish to order a plate of chicken satay, lontong and vegetables with peanut sauce.
WAITER : Anything else, sir?
MICHAEL : It's enough. That's all.
WAITER : What would you like to drink, sir?
MICHAEL : Give me a cup of coffee with milk, but not too sweet.
WAITER : Yes, sir.

**Duduk*, 'to sit'. In colloquial speech, it is used as a synonym of *tinggal*, 'to stay' or 'live'. Hence *penduduk*, 'inhabitants', 'population'.

Sudikah Awak Makan Tengah Hari Bersama Saya?

SABRI : *Pukul berapa sekarang, Hilda?*
HILDA : *Pukul 1.00 (satu) petang, Tuan.*
SABRI : *Awak tidak pergi makan tengah harikah?*
HILDA : *Tidak, Tuan.*
SABRI : *Sudikah awak makan tengah hari bersama saya?*
HILDA : *Terima kasih, Tuan.*
SABRI : *Saya mengajak* awak sungguh-sungguh.*
HILDA : *Baik, Tuan.*
SABRI : *Tahukah awak restoran yang terdekat di sini?*
HILDA : *Di sini, tidak ada, Tuan. Kita terpaksa naik teksi.*
SABRI : *Baiklah, mari kita naik teksi ke sana.*

Would You Like To Have Lunch With Me?

SABRI : What is the time now, Hilda?
HILDA : It's 1.00 p.m., sir.
SABRI : Aren't you going out for lunch?
HILDA : No, sir.
SABRI : Would you like to have lunch with me?
HILDA : No, thank you.
SABRI : I am sincere in inviting you.
HILDA : All right, sir.
SABRI : Do you know of any restaurant nearby?
HILDA : There is no restaurant here. We must take a taxi.
SABRI : All right, let's take a taxi.

**Ajak* or *mengajak*, 'to invite informally'. To invite formally is *menjemput* or *mengundang*. Please note that *menjemput* also means 'to fetch' or 'to pick up'.

Makanan Apa Yang Paling Sedap Di Sini?*

A : *Inilah restoran tempat saya biasa makan tengah hari.*
B : *Restoran ini nampaknya sungguh bagus. Makanan apa yang paling sedap di sini?*
A : *Restoran ini selalu menghidangkan daging panggang yang sedap.*
B : *Bagaimana harganya?*
A : *Harganya tidak terlalu mahal.*
B : *Makanan apa yang selalu Saudara pesan?*
A : *Saya selalu memesan makanan tawaran istimewa.*
B : *Makanan tawaran istimewa?*
A : *Ya, makanan tawaran istimewa. Makanan tawaran istimewa selalunya lebih murah.*

What's The Special Dish Here?

A : This is the restaurant where I usually eat lunch.
B : It looks like this restaurant is very good. What's the special dish here?
A : This restaurant always serves delicious roast beef.
B : How about the price?
A : The price is not expensive.
B : What do you usually order?
A : I usually order the special offer meal.
B : Special offer meal?
A : Yes, special offer meal. The special offer meal is always cheaper.

*A synonym for *sedap* is *lazat*.

Sudahkah Tuan Memesan Makanan?*

PELAYAN : *Sudahkah Tuan memesan makanan?*
MARTIN : *Belum.*
PELAYAN : *Tuan mahu makan apa?*
MARTIN : *Makanan apa yang paling sedap di restoran ini?*
PELAYAN : *Sate, gado-gado dan tahu goreng.*
MARTIN : *Apakah gado-gado itu?*
PELAYAN : *Gado-gado adalah campuran sayuran dengan sambal kacang.*
MARTIN : *Baiklah, saya pesan satu pinggan gado-gado dan satu pinggan tahu goreng.*

Have You Ordered Your Food Already?

WAITER : Have you ordered your food already?
MARTIN : No, not yet.
WAITER : What would you like to eat?
MARTIN : Which dishes are particularly delicious in this restaurant?
WAITER : Satay, gado-gado and fried beancurd.
MARTIN : What is gado-gado.
WAITER : Gado-gado is a mixture of vegetables with a spicy peanut sauce.
MARTIN : Okay, I'd like to have one plate of gado-gado and one plate of fried beancurd.

**Pesan*, 'order', *memesan*, 'to order'. *Pesanan* means 'message'.

Mana Daftar Makanan?

KATE : *Mana daftar makanan hari ini?*
PELAYAN : *Ini daftar makanan hari ini, Cik. Cik hendak makan apa?*
KATE : *Hari ini saya hendak makan bistik.*
PELAYAN : *Bistik bagaimana yang Cik inginkan?*
KATE : *Saya mahu dagingnya betul-betul masak.*
PELAYAN : *Sayurannya apa?*
KATE : *Kentang goreng, kacang pis dan lobak merah.*
PELAYAN : *Minumannya, Cik?*
KATE : *Berikan saya secawan Teh-O.*

Where's The Menu?

KATE : Where is today's menu?
WAITER : Here is today's menu, Miss. What would you like to eat?
KATE : I like to eat beefsteak today.
WAITER : How do you like your beefsteak?
KATE : I would like the meat to be well done.
WAITER : What kind of vegetables would you like?
KATE : Fried potatoes, peas and carrots.
WAITER : Your drink, Miss?
KATE : Give me a cup of tea without sugar.

Encik Hendak Makan Kuih?

PELAYAN	:	*Encik hendak makan kuih?*
GOPINATHAN	:	*Kuih apa yang ada hari ini?*
PELAYAN	:	*Macam-macam, Encik. Ada nagasari, kuih lapis....*
GOPINATHAN	:	*Pisang goreng ada?*
PELAYAN	:	*Ada, Encik.*
GOPINATHAN	:	*Beri saya segelas kopi pahit dan pisang goreng.*
PELAYAN	:	*Baik, Encik. Tunggu sebentar. Silakan minum, Encik.*
GOPINATHAN	:	*Berapa semuanya?*
PELAYAN	:	*Hanya dua ringgit sahaja. Terima kasih, Encik.*

Would You Like To Eat Cakes?

WAITER	:	Would you like to eat cakes?
GOPINATHAN	:	What kind of cakes do you have today?
WAITER	:	All sorts (of cakes), sir. There are *nagasari*, *kuih lapis....*
GOPINATHAN	:	Do you have banana fritters?
WAITER	:	Yes, sir.
GOPINATHAN	:	Give me a glass of bitter coffee and some banana fritters.
WAITER	:	Yes, sir. Please wait a while. Please enjoy your drink, sir.
GOPINATHAN	:	How much is all this?
WAITER	:	Only two ringgits. Thank you, sir.

Di Sini Ada Dijual Makanan?

PELAYAN : *Encik ingin pesan apa?*
DAUD : *Di sini ada dijual makanan?*
PELAYAN : *Ada, Encik. Ada nasi goreng dan nasi ayam.*
DAUD : *Kalau begitu, berikan saya nasi ayam.*
PELAYAN : *Baik, Encik.*

(*Sesudah makan*)
DAUD : *Pelayan, pelayan.*
PELAYAN : *Ya, Encik. Sudah selesai makan? Sedap, Encik?*
DAUD : *Makanan ini sedap betul, tetapi agak pedas buat saya. Berapa semuanya?*
PELAYAN : *Sepuluh ringgit saja.*

Do You Sell Food Here?

WAITER : What would you like to order, sir?
DAUD : Do you sell food here?
WAITER : Yes, sir. (We have) fried rice and chicken rice.
DAUD : In that case, please give me (a plate of) chicken rice.
WAITER : Yes, sir.

(After eating)
DAUD : Waiter, waiter!
WAITER : Yes, sir. Have you finished eating? Was it delicious?
DAUD : The food was delicious but rather hot for me. How much is everything?
WAITER : Just ten ringgits.

Puan Mahu Minum Apa?

PELAYAN : *Selamat pagi, Puan.*
JASMINE : *Selamat pagi.*
PELAYAN : *Puan mahu minum apa?*
JASMINE : *Berikan saya segelas teh.*
PELAYAN : *Teh susu atau Teh-O?*
JASMINE : *Teh susu saja, tanpa gula.*
PELAYAN : *Tehnya pekat atau cair?*
JASMINE : *Teh cair saja.*
PELAYAN : *Baik, Puan.*

What Would You Like To Drink?

WAITER : Good morning, Madam.
JASMINE : Good morning.
WAITER : What would you like to drink?
JASMINE : I would like a glass of tea.
WAITER : Tea with milk or no milk?
JASMINE : Tea with milk but no sugar.
WAITER : Would you prefer thick tea or thin tea?
JASMINE : Just thin tea.
WAITER : OK, Madam.

Bilakah Musim Durian?

LIM : *Tahukah Encik Ali bila musim buah-buahan?*
ALI : *Buah apa yang Encik Lim maksudkan? Rambutan, manggis atau durian?*
LIM : *Musim durianlah.*
ALI : *Encik Lim suka makan durian?*
LIM : *Suka sekali.*
ALI : *Ramai orang tidak suka makan durian. Baunya sangat keras.*
LIM : *Tapi isinya sedap.*
ALI : *Kalau begitu Encik Lim datanglah ke rumah saya pada musim durian tahun ini. Di belakang rumah saya ada banyak pokok durian.*
LIM : *Bilakah musim durian?*
ALI : *Biasanya dalam bulan Julai.*

When Is The Durian Season?

LIM : Do you know when is the fruit season, Mr. Ali?
ALI : What kind of fruit do you have in mind? Rambutan, mangosteen or durian?
LIM : It's durian.
ALI : Do you like to eat durian?
LIM : Very much.
ALI : Many people don't like to eat durians. The smell is very strong.
LIM : But the meat is very delicious.
ALI : In that case, please come to my house during this year's durian season. We have many durian trees behind our house.
LIM : When is the durian season?
ALI : Usually in July.

10

LEARNING MALAY

Mengapa Saudara Mahu Belajar Bahasa Melayu?

RAJU : *Selamat pagi, Saudari.*
SALMAH : *Selamat pagi. Saudara datang dari mana?*
RAJU : *Saya datang dari Singapura.*
SALMAH : *Mengapa Saudara mahu belajar bahasa Melayu?*
RAJU : *Bahasa Melayu penting untuk pekerjaan saya.*
SALMAH : *Apa pekerjaan Saudara?*
RAJU : *Saya seorang penterjemah.*
SALMAH : *Bahasa Melayu susahkah*? *
RAJU : *Bahasa Melayu tidak susah. Tetapi saya mesti belajar banyak perkataan baru.*

Why Do You Want To Learn Malay?

RAJU : Good morning, Miss.
SALMAH : Good morning. Where are you from?
RAJU : I am from Singapore.
SALMAH : Why do you want to learn Malay?
RAJU : Malay is important for my job.
SALMAH : What is your occupation?
RAJU : I am a translator.
SALMAH : Is Malay difficult?
RAJU : Malay is not difficult. But I have to learn many new words.

*A synonym for *susah* is *payah*.

Sudah Pandaikah Saudari Berbahasa Melayu?

SALIM : *Jo-Ann, sudah pandaikah Saudari berbahasa Melayu?*
JO-ANN : *Belum, Encik.*
SALIM : *Apa yang saya pegang?*
JO-ANN : *Itu telinga Encik.*
SALIM : *Sebutkan anggota badan Saudari.*
JO-ANN : *Ini kepala saya. Ini tangan saya. Ini kaki saya. Ini rambut saya.*
SALIM : *Saudari sudah cukup*[*] *pandai.*
JO-ANN : *Terima kasih, Encik.*

Are You Good At Speaking Malay Yet?

SALIM : Jo-Ann, are you good at speaking Malay yet?
JO-ANN : Not yet, sir.
SALIM : What am I holding up?
JO-ANN : That is your ear.
SALIM : Can you name the parts of your body?
JO-ANN : This is my head. This is my hand. This is my foot. This is my hair.
SALIM : You are already quite good.
JO-ANN : Thank you, sir.

[*] *Cukup* literally means 'enough' as in *Wangnya cukup* (He has enough money.) But it is used above in the sense of 'very, quite'.

Saudari Ingin Belajar Bahasa Melayukah?

AHMAD : *Saudari ingin belajar bahasa Melayukah?*
JANE : *Ya, saya ingin sekali belajar bahasa Melayu.*
AHMAD : *Cuba eja nama Saudari?*
JANE : *J, A, N, E.*
AHMAD : *Saudari orang Inggeriskah?*
JANE : *Ya, saya orang Inggeris. Dari mana Encik tahu?*
AHMAD : *Dari cara Saudari mengeja nama Saudari.*
JANE : *Bagaimana saya mengeja nama saya dalam bahasa Melayu?*
AHMAD : *J, E, N = JEN*

Do You Wish To Learn Malay?

AHMAD : Do you wish to learn Malay?
JANE : Yes, I wish very much to learn Malay.
AHMAD : Please spell your name.
JANE : J, A, N, E.
AHMAD : Are you English?
JANE : Yes, I am English. How do you know?
AHMAD : From the way you spell your name.
JANE : How do I spell my name in Malay?
AHMAD : J, E, N, = JEN

Bolehkah Saudara Mengira?

RAZALI : *Ben, bolehkah Saudara mengira dalam bahasa Melayu?*
BEN : *Boleh, tetapi saya hanya boleh mengira sampai sepuluh saja.*
RAZALI : *Berapakah jumlahnya 2 × 2 (dua kali dua)?*
BEN : *Dua kali dua, empat.*
RAZALI : *Bagus. Sekarang berapakah jumlahnya 2 + 3 (dua campur tiga)?*
BEN : *Dua campur tiga, lima.*
RAZALI : *Bagus. Saudara sudah pandai**.
BEN : *Terima kasih.*

Can You Count?

RAZALI : Ben, can you count in Malay?
BEN : Yes, but I can only count from one to ten.
RAZALI : How much is two times two?
BEN : Two times two is four.
RAZALI : Good. Now, how much is two plus three?
BEN : Two plus three is five.
RAZALI : Good. You are quite good.
BEN : Thank you.

*A synonym for *pandai* is *pintar*.

Sudah Lamakah Tuan Belajar Bahasa Melayu?

SITI : *Tuan William, sudah lamakah Tuan belajar bahasa Melayu?*
WILLIAM : *Sudah tiga bulan.*
SITI : *Sudahkah Tuan belajar mengira*[*]*?*
WILLIAM : *Sudah, saya sudah boleh mengira dari satu sampai seratus.*
SITI : *Berapakah jumlahnya 3 × 32 (tiga kali tiga puluh dua)?*
WILLIAM : *Tiga kali tiga puluh dua sama dengan sembilan puluh enam.*
SITI : *Bagus. Tuan pandai sekali.*

Have You Been Studying Malay Long?

SITI : Mr. William, have you been studying Malay long?
WILLIAM : For three months now.
SITI : Have you learnt to count?
WILLIAM : Yes, I can already count from one to one hundred.
SITI : How much is three times thirty-two?
WILLIAM : Three times thirty-two is ninety-six.
SITI : Good, you are quite clever.

[*]A synonym for *mengira* is *menghitung,* but 'arithmetics' is *ilmu hisab*.

Sudahkah Saudara Belajar Mencampur Dan Menolak[*]*?*

HAMIDAH : *Stephen, sudahkah Saudara belajar mencampur dan menolak?*
STEPHEN : *Sudah. Tetapi saya masih ragu-ragu.*
HAMIDAH : *Berapakah jumlahnya 2 – 2 (dua tolak dua)?*
STEPHEN : *Dua tolak dua sama dengan kosong.*
HAMIDAH : *Bagus. Kalau 2 – 0 (dua tolak kosong)?*
STEPHEN : *Dua tolak kosong sama dengan dua.*
HAMIDAH : *Bagus. Saudara sudah bijak sekarang.*

Have You Learnt Addition And Subtraction?

HAMIDAH : Stephen, have you learnt addition and subtraction?
STEPHEN : Yes. But I am still hesitant.
HAMIDAH : How much is two minus two?
STEPHEN : Two minus two is zero.
HAMIDAH : Good. How much is two minus zero?
STEPHEN : Two minus zero is two.
HAMIDAH : Good. You are very clever now.
STEPHEN : Thank you.

[*]*Tolak,* 'to push'. Please note that *bertolak* is 'to depart', *menolak* is 'to push', 'to reject' or 'to subtract' as used above.

Buatlah Apa Yang Saya Suruh

SAMSURI : *Apakah Saudari sudah faham bahasa Melayu?**
JUDY : *Sedikit-sedikit.*
SAMSURI : *Dengar baik-baik, dan buatlah apa yang saya suruh. Jalan ke pintu itu, jangan berlari.*
JUDY : *Sudah, Encik?*
SAMSURI : *Belum. Buka pintu itu dan kemudian kembali ke sini, sekarang. Duduk di depan saya.*
JUDY : *Sudah, Encik?*
SAMSURI : *Ya. Saudari sudah faham bahasa Melayu. Saudari boleh keluar sekarang. Jangan lupa tutup pintunya.*

Do What I Ask You To Do

SAMSURI : Can you understand Malay yet?
JUDY : A little.
SAMSURI : Now, listen carefully to what I ask you to do. Walk to the door, don't run.
JUDY : Is it OK, sir?
SAMSURI : Not yet. Open the door and come back now. Sit in front of me.
JUDY : Is it OK yet, sir.
SAMSURI : Yes. You understand Malay already. You can go out now. Don't forget to shut the door.

*A less formal or colloquial way of saying 'Do you understand Malay?' is *Saudari mengertikah bahasa Melayu?*

11

GOING TO MALAYSIA

Saya Hendak Memohon Visa*

DAVID : *Selamat pagi, Encik.*
HAMZAH : *Selamat pagi. Boleh saya tolong?*
DAVID : *Saya hendak memohon visa ke Malaysia tapi saya tidak tahu caranya.*
HAMZAH : *Saudara ini orang mana?*
DAVID : *Saya orang Amerika.*
HAMZAH : *Berapa lama Saudara hendak tinggal di Malaysia?*
DAVID : *Kira-kira tiga bulan.*
HAMZAH : *Saudara isikan borang ini dengan lengkap. Kemudian berikan kepada saya.*
DAVID : *Bila saya boleh ambil visa saya?*
HAMZAH : *Dalam masa seminggu.*
DAVID : *Terima kasih.*

I Want To Apply For A Visa

DAVID : Good morning, sir.
HAMZAH : Good morning. May I help you?
DAVID : I want to apply for a visa to Malaysia but I don't know how to go about it.
HAMZAH : What's your nationality?
DAVID : I'm an American.
HAMZAH : How long do you intend to stay in Malaysia?
DAVID : About 3 months.
HAMZAH : Please fill in this form completely. Then give it back to me.
DAVID : When can I get my visa?
HAMZAH : In a week's time.
DAVID : Thank you.

*Pohon or memohon means 'to ask' or 'to reply'. Meminta can be used as a synonym.

Berapakah Harga Tiket Penerbangan Ke Kuala Lumpur?

HARON : *Encik Samad, berapakah harga tiket penerbangan ke Kuala Lumpur?*
SAMAD : *Satu hala atau pergi balik?*
HARON : *Satu hala sahaja.*
SAMAD : *Saudara mahu jalan-jalan ke Kuala Lumpur?*
HARON : *Bukan saya, tetapi adik saya.*
SAMAD : *Ada urusan apa dia ke Kuala Lumpur?*
HARON : *Tidak ada apa-apa. Bercuti sahaja.*
SAMAD : *Oh, begitu. Harga tiket lebih kurang S$143.00 (seratus empat puluh tiga dolar).*
HARON : *Terima kasih.*

How Much Is The Air Fare To Kuala Lumpur?

HARON : Mr. Samad, how much is the air fare to Kuala Lumpur?
SAMAD : One way or return?
HARON : One way.
SAMAD : Are you going sightseeing in Kuala Lumpur?
HARON : Not me, but my younger brother is.
SAMAD : Why is he going to Kuala Lumpur?
HARON : Nothing. Just holidaying.
SAMAD : Oh, I see. The ticket costs about one hundred and forty-three dollars.
HARON : Thank you.

Bilakah Saudara Akan Ke Kuala Lumpur?

MANAF : *Selamat pagi, Encik Fandi. Apa khabar?*
FANDI : *Khabar baik, terima kasih. Dan Saudara bagaimana?*
MANAF : *Baik, terima kasih. Saudara mahu ke mana?*
FANDI : *Saya mahu ke agensi pelancongan.*
MANAF : *Agensi pelancongan? Saudara mahu ke mana?*
FANDI : *Saya mahu ke Kuala Lumpur.*
MANAF : *Bilakah Saudara akan ke Kuala Lumpur?*
FANDI : *Pagi esok.*
MANAF : *Selamat melancong.*
FANDI : *Terima kasih.*

When Are You Leaving For Kuala Lumpur?

MANAF : Good morning, Mr. Fandi. How are you?
FANDI : Fine, thank you. And how about you?
MANAF : Fine, thank you. Where are you going?
FANDI : I am going to a travel agency.
MANAF : Travel agency? Where are you going?
FANDI : I want to go to Kuala Lumpur.
MANAF : When are you leaving?
FANDI : Tomorrow morning.
MANAF : *Bon voyage.*
FANDI : Thank you.

Pukul Berapa Kapal Terbang Terakhir Berlepas?

PEGAWAI MAS : *Helo! Selamat pagi, Sistem Penerbangan Malaysia.*
JENNIFER : *Selamat pagi. Bolehkah saya bercakap dengan Encik Roslan?*
PEGAWAI MAS : *Maaf, boleh saya tahu siapa yang bercakap?*
JENNIFER : *Saya Jennifer.*
PEGAWAI MAS : *Bolehkah saya menolong Puan?*
JENNIFER : *Pukul berapakah kapal terbang terakhir berlepas dari Singapura ke Kuala Lumpur?*
PEGAWAI MAS : *Pukul 11.00 (sebelas) malam.*
JENNIFER : *Terima kasih.*
PEGAWAI MAS : *Sama-sama**.

What Time Will The Last Plane Depart?

MAS OFFICER : Hello! Good morning, this is Malaysian Airlines System.
JENNIFER : Good morning. May I speak to Mr. Roslan?
MAS OFFICER : Excuse me, whom am I speaking to?
JENNIFER : I am Jennifer.
MAS OFFICER : Can I help you?
JENNIFER : What time will the last plane depart from Singapore to Kuala Lumpur?
MAS OFFICER : At 11.00 p.m.
JENNIFER : Thank you.
MAS OFFICER : The same to you.

**Sama-sama* (both together) is a stock answer to *terima kasih* (thank you).

Perlukah Saya Memohon Visa?

LIM	:	*Encik Kamal, saya mahu melancong ke Malaysia. Perlukah saya memohon visa dari Kedutaan Malaysia di Singapura?*
ENCIK KAMAL	:	*Sudahkah Encik mempunyai pasport?*
LIM	:	*Saya sudah ada pasport.*
ENCIK KAMAL	:	*Kalau Encik sudah ada pasport, Encik boleh berangkat ke Malaysia bila-bila masa saja.*
LIM	:	*Tidak perlu visa?*
ENCIK KAMAL	:	*Tidak perlu. Warganegara ASEAN boleh masuk ke Malaysia tanpa visa.*
LIM	:	*Berapa lama saya boleh tinggal di Malaysia?*
ENCIK KAMAL	:	*Kalau saya tidak silap, kira-kira satu bulan.*
LIM	:	*Kalau saya mahu tinggal lebih lama, bagaimana?*
ENCIK KAMAL	:	*Kalau Encik hendak tinggal lebih daripada satu bulan, Encik perlu pergi ke pejabat imigresen untuk memperbaharui izin masuk.*

Do I Need To Get A Visa?

LIM	:	Mr. Kamal, I am going for a trip to Malaysia. Do I need to get a visa from the Malaysian Embassy in Singapore?
MR. KAMAL	:	Do you have a passport already?
LIM	:	Yes, I already have a passport.
MR. KAMAL	:	Well, if you have a passport, you can go to Malaysia anytime.
LIM	:	Don't I need to get a visa?
MR. KAMAL	:	No, no need. ASEAN citizens can visit

		Malaysia without a visa.
LIM	:	How long can I stay in Malaysia?
MR. KAMAL	:	If I am not mistaken, about one month.
LIM	:	And if I wish to stay longer than one month?
MR. KAMAL	:	In that case, you'll have to go to the imigration department and renew your entry permit.

Untuk Apa Encik Pergi Ke Malaysia?

NORA : *Saya dengar Encik hendak ke Malaysia. Bila Encik akan berangkat?*
KIRPAL : *Jumaat depan.*
NORA : *Ada apa Encik pergi ke Malaysia?*
KIRPAL : *Saya hendak meninjau tentang keadaan perusahaan di Malaysia.*
NORA : *Tempat-tempat manakah yang akan Encik kunjungi di Malaysia?*
KIRPAL : *Saya akan pergi ke Kuala Lumpur dulu**, *kemudian ke Kota Bharu dan Pulau Pinang.*
NORA : *Apakah Encik tidak akan berkunjung ke Sarawak?*
KIRPAL : *Saya juga akan ke Sarawak, kalau masih ada masa.*
NORA : *Sudahkah Encik menempah tiket kapal terbang?*
KIRPAL : *Sudah. Saya sudah menempah tiket minggu lepas.*
NORA : *Selamat jalan.*

What Are You Going To Malaysia For?

NORA : I heard that you are going to Malaysia. When are you leaving?
KIRPAL : Next Friday.
NORA : What are you going there for?
KIRPAL : To make a survey of the industrial situation in Malaysia.
NORA : What are the places that you will visit?
KIRPAL : I'll go to Kuala Lumpur first, and then to Kota Bharu and Penang.
NORA : Aren't you going to visit Sarawak?
KIRPAL : I'll go to Sarawak, too, if there is still time.

NORA : Have you booked your ticket yet?
KIRPAL : Yes. I booked my ticket last week.
NORA : Have a good journey.

**Dulu* or *dahulu* means 'before' or 'first', *beberapa hari dahulu* means 'a few days ago'.

Bolehkah Saya Melihat Pasport Puan?

PEGAWAI IMIGRESEN	:	*Bolehkah saya melihat pasport Puan?*
ADLENE	:	*Ya. Ini pasport saya.*
PEGAWAI IMIGRESEN	:	*Apakah maksud kunjungan* Puan ke Malaysia?*
ADLENE	:	*Bercuti sahaja.*
PEGAWAI IMIGRESEN	:	*Berapa hari Puan akan tinggal di sini?*
ADLENE	:	*Kira-kira seminggu.*
PEGAWAI IMIGRESEN	:	*Puan akan tinggal di mana?*
ADLENE	:	*Saya akan tinggal di Hotel Plaza.*
PEGAWAI IMIGRESEN	:	*Terima kasih. Ini pasport Puan.*
ADLENE	:	*Terima kasih.*

May I See Your Passport?

IMIGRATION OFFICER	:	May I see your passport, Madam?
ADLENE	:	Yes. Here it is.
IMIGRATION OFFICER	:	What is the purpose of your visit to Malaysia?
ADLENE	:	Just holidaying.
IMIGRATION OFFICER	:	How long do you intend to stay here?
ADLENE	:	About one week.
IMIGRATION OFFICER	:	Where are you going to stay?
ADLENE	:	I am going to stay at the Plaza Hotel.
IMIGRATION OFFICER	:	Thank you. Here is your passport.
ADLENE	:	Thank you.

**Kunjungan* is a synonym of *lawatan*, 'visit'.

Yang Manakah Barang-barang Tuan?

PEGAWAI KASTAM : *Yang manakah barang-barang Tuan?*
LEONARD : *Ini beg-beg pakaian saya.*
PEGAWAI KASTAM : *Apa isinya?*
LEONARD : *Beg-beg pakaian ini berisi barang-barang kegunaan saya sendiri.*
PEGAWAI KASTAM : *Tolong* buka beg-beg ini.*
LEONARD : *Baik, Encik.*
PEGAWAI KASTAM : *Adakah Tuan membawa barang-barang yang kena cukai?*
LEONARD : *Tidak ada, Encik.*
PEGAWAI KASTAM : *Adakah Tuan membawa kamera atau buah tangan?*
LEONARD : *Saya tidak membawa kamera, tetapi ada buah tangan untuk kawan.*
PEGAWAI KASTAM : *Terima kasih. Tuan boleh tutup kembali beg Tuan ini.*

Which One Is Your Luggage?

CUSTOMS OFFICER : Which one is your luggage, sir?
LEONARD : This is my luggage.
CUSTOMS OFFICER : What is inside your luggage?
LEONARD : These suitcases contain personal belongings.
CUSTOMS OFFICER : Please open them.
LEONARD : Yes, sir.
CUSTOMS OFFICER : Do you have any dutiable goods?
LEONARD : No, I don't.
CUSTOMS OFFICER : Do you have a camera or presents with you?

LEONARD : I don't have a camera, but I have a few presents for friends.

CUSTOMS OFFICER : Thank you. You can close your bags now.

***Tolong* means 'help' or 'please'. It denotes a request for a favour to be done.

Apa Maksud Kunjungan Tuan?

TAN : *Selamat pagi, Encik.*
PETUGAS : *Selamat pagi. Apa maksud kunjungan Tuan ke Malaysia?*
TAN : *Saya bercadang hendak membuka sebuah kilang di Malaysia.*
PETUGAS : *Berapa lama Tuan mahu tinggal di Malaysia?*
TAN : *Kira-kira sebulan.*
PETUGAS : *Tuan tidak ingin tinggal lebih lama lagikah?*
TAN : *Saya ingin tinggal lebih lama kalau dibenarkan.*
PETUGAS : *Oh, begitu. Selamat datang ke Malaysia, semoga Tuan gembira berada di negeri kami.*
TAN : *Terima kasih.*

What Is The Purpose of Your Visit?

TAN : Good morning, sir.
OFFICER-IN-CHARGE : Good morning. What is the purpose of your visiting Malaysia?
TAN : I intend to open a factory in Malaysia.
OFFICER-IN-CHARGE : How long do you intend to stay in Malaysia?
TAN : About one month.
OFFICER-IN-CHARGE : Don't you wish to stay longer?
TAN : I would like to stay longer if I can get the permission.
OFFICER-IN-CHARGE : Is that so? Welcome to Malaysia, I

hope you'll enjoy your stay in our country.

TAN : Thank you.

Adakah Tuan Membawa Barang-barang Yang Kena Cukai?

PEGAWAI KASTAM	:	*Adakah Tuan membawa barang-barang yang kena cukai?*
SEBASTIAN	:	*Saya tidak tahu barang apa yang kena cukai.*
PEGAWAI KASTAM	:	*Adakah Tuan membawa cerut, rokok, tembakau atau minuman keras?*
SEBASTIAN	:	*Tidak. Saya tidak ada membawa cerut, rokok, tembakau atau minuman keras.*
PEGAWAI KASTAM	:	*Baiklah. Adakah tuan membawa kamera, mesin taip atau barang-barang lain yang masih baru?*
SEBASTIAN	:	*Saya ada membawa sebuah kamera baru.*
PEGAWAI KASTAM	:	*Tuan mesti membayar cukai eksais untuk kamera itu.*
SEBASTIAN	:	*Tetapi kamera ini untuk kegunaan saya sendiri.*
PEGAWAI KASTAM	:	*Kalau begitu, Tuan tidak perlu membayar cukai eksais, tetapi Tuan mesti membawa kamera itu keluar apabila meninggalkan Malaysia.*
SEBASTIAN	:	*Baiklah, terima kasih, Encik.*

Do You Have Dutiable Goods?

CUSTOMS OFFICER	:	Do you have dutiable goods?
SEBASTIAN	:	I don't know what they are?
CUSTOMS OFFICER	:	Have you any cigars, cigarettes, tobacco or alcoholic drinks?
SEBASTIAN	:	I don't have any cigars, cigarettes,

		tobacco or alcoholic drinks.
CUSTOMS OFFICER	:	All right. Do you have a camera, typewriter, or any other brand-new things?
SEBASTIAN	:	I do have a new camera.
CUSTOMS OFFICER	:	You must pay an excise duty on the new camera.
SEBASTIAN	:	But the camera is for my personal use.
CUSTOMS OFFICER	:	In that case, you needn't pay excise duties, but you must take it with you when you leave Malaysia.
SEBASTIAN	:	Thank you, sir.

Selamat Datang Ke Malaysia

A : *Selamat datang ke Malaysia, Saudari Monica.*
B : *Terima kasih. Apa khabar Cik Asmah?*
A : *Khabar baik. Dan bagaimana pula dengan Saudari?*
B : *Saya juga baik. Hanya perjalanan ini sungguh memenatkan.*
A : *Kapal terbang apakah yang Saudari naik?*
B : Qantas.
A : *Berapa jamkah penerbangannya?*
B : *Lima jam.*
A : *Apakah ini kali pertama Saudari datang ke Malaysia?*
B : *Ya, betul. Inilah kali pertama saya datang ke Malaysia.*
A : *Saya harap Saudari seronok tinggal di Malaysia.*

Welcome To Malaysia

A : Welcome to Malaysia, Miss Monica.
B : Thank you. How are you, Miss Asmah?
A : I am fine. How about you?
B : I am fine, too. But the journey is rather tiring.
A : Which airline did you take?
B : Qantas.
A : How long is the flight?
B : Five hours.
A : Is this your first visit to Malaysia?
B : Yes. This is my first visit.
A : I hope you'll enjoy staying in Malaysia.

Berapakah Tambangnya?

KERANI KUPON : *Cik mahu ke mana?*
SANDRA : *Saya mahu ke Hotel Plaza. Berapakah tambangnya?*
KERANI KUPON : *Lapan belas ringgit sahaja. Ini kuponnya.*
SANDRA : *Ini duitnya. Terima kasih.*

(Di dalam teksi)
SANDRA : *Tolong hantarkan saya ke Hotel Plaza.*
PEMANDU TEKSI : *Baiklah. Di mana kuponnya?*
SANDRA : *Ini dia. Berapa lama kita akan sampai di hotel?*
PEMANDU TEKSI : *Kira-kira satu jam, kalau tidak ada kesesakan lalulintas.*

How Much Is The Fare?

COUPON CLERK : Where are you going?
SANDRA : I want to go to the Plaza Hotel. How much is the fare?
COUPON CLERK : Eighteen ringgits only. This is the coupon.
SANDRA : This is the money. Thank you.

(In the taxi)
SANDRA : Please take me to the Plaza Hotel.
TAXI DRIVER : OK, but where's the coupon?
SANDRA : Here it is. How long will it take you to reach the hotel?
TAXI DRIVER : About one hour, if there are no traffic jams.

Untuk Encik Seorang Sajakah?

A : *Selamat petang, Encik.*
B : *Selamat petang. Boleh saya tolong?*
A : *Ya, saya hendak beli tiket bas ke Terengganu.*
B : *Untuk Encik seorang sajakah?*
A : *Tidak, untuk dua orang, saya dan kawan saya.*
B : *Semuanya M$44.00 (empat puluh empat ringgit).*
A : *Ini wangnya. Maaf, Encik, bas itu ada penyaman udara?*
B : *Ada. Ini tiketnya. Selamat jalan.*

For You Alone?

A : Good afternoon, sir.
B : Good afternoon. Can I help you?
A : Yes, I want to buy bus tickets to Terengganu.
B : For you alone?
A : No, for two persons—my friend and I.
B : It will be M$44.00.
A : Here is the money. Excuse me, is the bus air-conditioned?
B : Yes, it is. Here are the tickets. Enjoy your trip.

12

ACCOMMODATION

Hotel Mana Yang Paling Baik?

A : *Adakah hotel yang baik di sini?*
B : *Hotel yang baik banyak sekali.*
A : *Tapi jangan yang terlalu mahal.*
B : *Hotel yang baik tapi tidak terlalu mahal. Tunggu sekejap*[*], *saya fikir ...*
A : *Sudahkah Saudara dapat?*
B : *Oh sudah. Hotel Malaya.*
A : *Di mana hotel itu?*
B : *Di pusat bandar.*

Which Is The Best Hotel?

A : Is there a good hotel here?
B : There are many good hotels here.
A : But it should not be too expensive.
B : A good hotel, but not too expensive. Let me think ...
A : Have you thought of one yet?
B : Yes, the Malaya Hotel.
A : Where is the hotel?
B : In the town centre.

[*]*Se + kejap = sekejap* means 'a moment'. *Sekejap lagi* is 'in a moment'. *Sebentar* is often used as a synonym of *sekejap*.

Saya Sedang Mencari Hotel Malaya

ADNAN : *Maafkan saya, Encik. Saya sedang mencari Hotel Malaya.*
SELAMAT : *Hotel Malaya? Saudara tahu di mana Jalan Lekir?*
ADNAN : *Tidak, saya tidak tahu.*
SELAMAT : *Kalau Saudara jalan terus dari sini, Saudara akan sampai ke suatu simpang empat. Dari sana Saudara ikut kiri dan kemudian belok* kanan lagi.*
ADNAN : *Apakah hotel itu jauh dari sini?*
SELAMAT : *Saudara ada kereta?*
ADNAN : *Tidak. Saya tidak ada kereta.*
SELAMAT : *Kalau jalan kaki agak jauh juga. Sebaiknya Saudara naik teksi saja.*
ADNAN : *Terima kasih.*
SELAMAT : *Sama-sama.*

I Am Looking For The Malaya Hotel

ADNAN : Excuse me, sir. I am looking for the Malaya Hotel.
SELAMAT : The Malaya Hotel? Do you know where Jalan Lekir is?
ADNAN : No, I don't.
SELAMAT : If you go straight from here, you'll reach a crossroad. From there you turn left and then turn right again.
ADNAN : Is the hotel far from here?
SELAMAT : Do you have a car?
ADNAN : No, I don't.

SELAMAT : It is rather far to walk. It's better for you to take a taxi.
ADNAN : Thank you.
SELAMAT : You are welcome.

*Belok means 'to turn'. *Pusing* is often used as a synonym of *belok*. But *pusing kepala* is 'to be dizzy'.

Masih Adakah Bilik Kosong?

PENYAMBUT TAMU : *Selamat petang, Tuan.*
HENRY : *Selamat petang, Cik. Masih adakah bilik kosong?*
PENYAMBUT TAMU : *Ada, Tuan.*
HENRY : *Berapa sewanya untuk satu malam?*
PENYAMBUT TAMU : *Tiga puluh ringgit satu malam. Tuan mahu menginap berapa malam di sini?*
HENRY : *Lima malam. Apakah ada bilik mandi sendiri?*
PENYAMBUT TAMU : *Ya, tentu.*
HENRY : *Ada alat penyaman udara?*
PENYAMBUT TAMU : *Ada, Tuan. Ini kuncinya. Bilik nombor tujuh.*

Do You Still Have A Vacant Room?

RECEPTIONIST : Good evening, sir.
HENRY : Good evening, Miss. Do you still have a vacant room?
RECEPTIONIST : Yes, sir.
HENRY : What is the rate for one night?
RECEPTIONIST : Thirty ringgits per night. How many nights are you going to stay?
HENRY : Five nights. Does the room have a private bathroom?
RECEPTIONIST : Yes, sure.
HENRY : Is there an air-conditioner?
RECEPTIONIST : Yes, sir. Here is your key. Room no. 7.

Sudahkah Tuan Menempah Bilik?

PEGAWAI HOTEL : *Selamat datang, Tuan.*

AHMAD : *Terima kasih. Masih adakah bilik kosong di sini?*

PEGAWAI HOTEL : *Sudahkah Tuan menempah bilik?*

AHMAD : *Belum.*

PEGAWAI HOTEL : *Tunggu sebentar. Kami ada bilik kosong, tetapi bilik itu masih belum dibersihkan. Tamunya baru saja meninggalkan bilik itu.*

AHMAD : *Tidak mengapa, biarlah saya tunggu. Bilakah bilik itu boleh siap?*

PEGAWAI HOTEL : *Tidak lama, kira-kira setengah jam sahaja. Berapa malam Tuan akan menginap di sini?*

AHMAD : *Kira-kira seminggu.*

PEGAWAI HOTEL : *Sila tulis nama, alamat dan nombor pasport Tuan dalam buku tamu. Oh, bilik Tuan sudah siap. Porter, tolong hantarkan Tuan ini ke bilik nombor 365.*

Have You Made A Reservation?

HOTEL STAFF : Welcome, sir.

AHMAD : Thank you. Do you still have a vacant room?

HOTEL STAFF : Have you made a reservation yet?

AHMAD : No.

HOTEL STAFF : Wait a moment. We have a vacant room, but the room has not been cleaned yet. The previous guest has just vacated it.

AHMAD	:	It's all right, I'll wait. When will the room be ready?
HOTEL STAFF	:	Not long, about half an hour or so. How many nights are you going to stay here?
AHMAD	:	About a week.
HOTEL STAFF	:	Please write your name, address and passport number in the visitor's book. Oh, your room is ready. Porter, please show this gentleman to room 365.

Bagaimanakah Layanan di Hotel Itu?

A : *Bagaimanakah layanan di hotel itu?*
B : *Layanannya sungguh memuaskan.*
A : *Bagaimana makanannya?*
B : *Makanannya cukup sedap.*
A : *Besarkah hotel itu?*
B : *Sungguh besar.*
A : *Apakah di biliknya ada telefon?*
B : *Ada.*

How Is The Service Of The Hotel?

A : How is the service of the hotel?
B : The service is very good.
A : How is the food?
B : The food is quite delicious.
A : Is the hotel big?
B : Quite big.
A : Is there a telephone in the room?
B : Yes, there is (one).

Rumah Inikah Yang Hendak Encik Sewakan?

EDWARD : *Selamat pagi, Encik. Bolehkah saya bertemu dengan Encik Osman?*
OSMAN : *Selamat pagi. Sayalah Osman. Ada apa-apa yang boleh saya tolong?*
EDWARD : *Saya Edward. Saya dengar Encik mempunyai rumah yang hendak disewakan?*
OSMAN : *Benar, Tuan.*
EDWARD : *Rumah inikah yang hendak Encik sewakan?*
OSMAN : *Ya, inilah rumahnya. Silakan masuk.*
EDWARD : *Rumah ini ada berapa bilik?*
OSMAN : *Rumah ini ada tiga bilik tidur. Dalam setiap bilik tidur ada bilik mandi dan tandas.*
EDWARD : *Tidak adakah ruang makan dan ruang duduk?*
OSMAN : *Tentu ada. Rumah ini ada satu ruang tamu, satu ruang makan dan dapur.*
EDWARD : *Apakah rumah ini mempunyai garaj?*
OSMAN : *Rumah ini ada sebuah garaj dan satu perkarangan** *kecil di belakangnya.*
EDWARD : *Terima kasih, Encik Osman. Saya akan berunding dengan isteri saya dulu, nanti saya datang lagi.*

Is This The House That You Are Going To Rent Out?

EDWARD : Good morning, sir. May I see Mr. Osman?
OSMAN : Good morning. I am Osman. What can I do for you?
EDWARD : I am Edward. I heard that you have a house to rent.
OSMAN : Yes, sir.

EDWARD : Is this the house that you are going to rent out?
OSMAN : Yes, this is the house. Please come in.
EDWARD : How many rooms are there in this house?
OSMAN : This house has three bedrooms. Each bedroom is attached to a bathroom and a toilet.
EDWARD : Do you have a dining room and sitting room?
OSMAN : Yes, there is a sitting room, a dining room and a kitchen.
EDWARD : Does this house have a garage?
OSMAN : Yes, there is a garage and a small garden at the back.
EDWARD : Thank you, Mr. Osman. I want to discuss it with my wife first. I'll come back later.

Berapakah Sewa Rumah Ini?

JASON : *Selamat pagi, Encik Roslan.*
ROSLAN : *Selamat pagi, Tuan Jason.*
JASON : *Encik Roslan, berapakah sewa rumah ini?*
ROSLAN : *Sewanya tidak mahal. Hanya seribu ringgit* sebulan.*
JASON : *Seribu dolar sebulan? Mengapa mahal sangat?*
ROSLAN : *Bukan seribu dolar, seribu ringgit.*
JASON : *Seribu ringgit juga mahal.*
ROSLAN : *Maaf, Tuan. Tapi rumah ini bagus. Tempat ini aman dan tenteram.*
JASON : *Tidak bolehkah dikurangkan sedikit?*
ROSLAN : *Tidak boleh. Ini sudah harga mati.*
JASON : *Baiklah. Apakah saya perlu membayar wang pendahuluan?*
ROSLAN : *Ya, Tuan.*
JASON : *Encik Roslan, sekarang saya akan bayar wang pendahuluan dua ratus dulu.*
ROSLAN : *Terima kasih, Tuan Jason.*

How Much Is The Rent Of This House?

JASON : Good morning, Mr. Roslan.
ROSLAN : Good morning, Mr. Jason.
JASON : Mr. Roslan, how much is the rent for this house?
ROSLAN : The rent is not expensive. Only one thousand ringgits a month.
JASON : One thousand dollars a month? Why so expensive?
ROSLAN : Not one thousand dollars, one thousand ringgits.
JASON : One thousand ringgits is also expensive.
ROSLAN : Excuse me, sir. But this is a good house. This area

is safe and calm.

JASON : Can't you reduce the rent a little?

ROSLAN : No, I'm afraid I can't. It is a fixed price.

JASON : All right. Must I pay you an advance?

ROSLAN : Yes, sir.

JASON : Mr. Roslan, I'll now pay you two hundred ringgits in advance.

ROSLAN : Thank you, Mr. Jason.

*At the time of writing, one Malaysian ringgit is equivalent to S$0.65.

Di Manakah Encik Zainul Tinggal Sekarang?

KELVIN : *Setiap pagi Encik Zainul sibuk membaca suratkhabar saja.*
SUFIAN : *Apa yang dibacanya?*
KELVIN : *Iklan. Ia sedang mencari rumah.*
SUFIAN : *Apakah Encik Zainul tidak mempunyai rumah sekarang?*
KELVIN : *Ada, tetapi dia mahu mencari rumah yang dekat dengan pejabatnya.*
SUFIAN : *Di manakah Encik Zainul tinggal sekarang?*
KELVIN : *Dia tinggal di Petaling Jaya.*
SUFIAN : *Adakah rumahnya jauh dari pejabat?*
KELVIN : *Agak jauh juga. Kalau naik kereta pun satu jam baru sampai.*
SUFIAN : *Tak hairanlah kalau Encik Zainul hendak pindah.*

Where Does He Live Now?

KELVIN : Every morning Mr. Zainul is busy reading the newspaper.
SUFIAN : What does he read?
KELVIN : Advertisements. He's looking for a house.
SUFIAN : Doesn't he have a house now?
KELVIN : He does, but he's looking for a house which is near his office.
SUFIAN : Where does Mr. Zainul live now?
KELVIN : He lives in Petaling Jaya.
SUFIAN : Is his house far from his office?
KELVIN : It's quite far. It takes one hour by car.
SUFIAN : No wonder he wants to move out.

Ke Manakah Saudara Berpindah?

EMAN : *Saudara Vincent, saya dengar Saudara sudah berpindah. Ke manakah Saudara berpindah?*
VINCENT : *Ke Taman Bahagia.*
EMAN : *Bagaimana keadaan biliknya?*
VINCENT : *Biliknya boleh tahan*. Cuma saya terpaksa membeli sendiri beberapa alat perkakas.*
EMAN : *Apakah yang Saudara terpaksa beli?*
VINCENT : *Meja tulis dan kerusi. Selain daripada itu saya terpaksa juga membeli kelambu.*
EMAN : *Sudahkah Saudara beli semuanya?*
VINCENT : *Semuanya saya sudah beli kecuali kelambu.*
EMAN : *Oh, kelambu, Saudara tidak usah beli. Saya ada satu. Nanti saya berikan pada Saudara.*

Where Have You Moved?

EMAN : Mr. Vincent, I heard that you have moved out. Where have you moved out to?
VINCENT : To Taman Bahagia.
EMAN : How is the condition of the room there?
VINCENT : The room is all right. But I've to buy a few things myself.
EMAN : What must you buy?
VINCENT : A desk and a few chairs. Besides, I've to buy a mosquito net.
EMAN : Have you bought all these things yet?
VINCENT : Yes, I've bought everything except the mosquito net.
EMAN : You needn't buy the mosquito net. I have one. I'll give it to you.

**Tahan* means 'to endure'; 'to stop'; or 'to detain'. *Saya tak tahan* is 'I cannot stand it'; *Ia tahan bas itu* is 'He stops the bus'; *Polis tahan orang itu* is 'The police detained the man'. *Boleh tahan* means 'all right' (literally, 'can stand').

Anda Sedang Mencari Sesuatu?

YUNUS : *Hai, Saudara Chong, anda sedang buat apa?*
CHONG : *Saya sedang membaca suratkhabar.*
Yunus : *Apa yang sedang Saudara baca?*
CHONG : *Iklan.*
YUNUS : *Iklan? Anda sedang mencari sesuatu?*
CHONG : *Saya sedang mencari tempat tinggal.*
YUNUS : *Sudah dapat?*
CHONG : *Belum.*
YUNUS : *Sudah berapa lama Saudara mencarinya?*
CHONG : *Sudah dua minggu.*
YUNUS : *Jangan khuatir. Nanti saya tanya teman kita Arif. Mungkin dia dapat menolong.*

Are You Looking For Something?

YUNUS : Hey, Chong, what are you doing?
CHONG : I am reading a newspaper.
YUNUS : What are you reading right now?
CHONG : Advertisements.
YUNUS : Advertisements? Are you looking for something?
CHONG : Yes, I am looking for a room.
YUNUS : Have you found one?
CHONG : Not yet.
YUNUS : How long have you been searching?
CHONG : Two weeks already.
YUNUS : Don't worry. I'll ask our friend Arif. Perhaps he can help.

Berapakah Sewanya?

SANI : *Helo, Chan. Saya dengar Saudara sedang mencari tempat tinggal.*
CHAN : *Betul. Saya sedang mencari tempat tinggal.*
SANI : *Kebetulan sekali di tempat saya itu masih ada satu bilik kosong. Kalau Saudara mahu, nanti saya cakapkan dengan tuan rumah.*
CHAN : *Berapakah sewanya sebulan?*
SANI : *Setiap bulan saya bayar seratus lima puluh dolar.*
CHAN : *Termasuk makan?*
SANI : *Dua kali sehari, sarapan pagi dan makan malam.*
CHAN : *Bagaimana dengan makan tengah hari?*
SANI : *Saya selalu makan tengah hari di luar.*
CHAN : *Bagaimana dengan cucian?*
SANI : *Itu sudah termasuk cucian. Tuan rumah mempunyai pembantu yang akan mencuci dan menyeterika pakaian Saudara.*
CHAN : *Nampaknya tempat tinggal Saudara bagus juga. Tolong cakapkan dengan tuan rumah. Kalau dapat, saya hendak masuk secepat mungkin.*

How Much Is The Rent?

SANI : Hello, Chan. I heard that you are looking for a place to stay.
CHAN : Yes, I am looking for a place to stay.
SANI : By chance the place where I am staying still has a vacant room. If you are interested, I'll talk to the landlord.
CHAN : How much is the rent per month?
SANI : Every month I pay one hundred and fifty dollars.

CHAN : Does that include meals?
SANI : Yes, twice a day, breakfast and dinner.
CHAN : What about lunch?
SANI : I always have my lunch outside.
CHAN : What about laundry?
SANI : Laundry is included. The landlord has a maid who will wash and iron your clothes.
CHAN : Your boarding place sounds good. Do talk to your landlord. If possible, I want to move in as soon as possible.

13

ON THE TELEPHONE

Boleh Saya Bercakap Dengan Encik Hassan?

SETIAUSAHA : *Pejabat ABC. Selamat pagi.*
ALAN : *Boleh saya bercakap dengan Encik Hassan?*
SETIAUSAHA : *Oh, Encik Hassan tidak ada di pejabat. Ada apa-apa pesan, Encik?*
ALAN : *Tolong sampaikan pada Encik Hassan, bahawa saya menelefon.*
SETIAUSAHA : *Nama Encik?*
ALAN : *Alan. Dari Syarikat Maju.*
SETIAUSAHA : *Nombor telefon Encik?*
ALAN : *1234567 (satu-dua-tiga-empat-lima-enam-tujuh), sambungan 24.*
SETIAUSAHA : *Baik, Encik Alan ... saya akan sampaikan kepada Encik Hassan.*
ALAN : *Terima kasih.*
SETIAUSAHA : *Sama-sama.*

May I Speak To Mr. Hassan

SECRETARY : This is the office of ABC. Good morning.
ALAN : May I speak to Mr. Hassan, please?
SECRETARY : Oh, Mr. Hassan is not in the office. Any message, sir?
ALAN : Please inform Mr. Hassan that I have telephoned.
SECRETARY : Your name, please.
ALAN : Alan. From Maju Company.
SECRETARY : Your telephone number?
ALAN : 1234567, extention 24.
SECRETARY : Thank you, Mr. Alan. I'll give your message to Mr. Hassan.

ALAN : Thank you.
SECRETARY : You are welcome.

Ini Rumah Cik Normahkah?

ORANG GAJI : *Helo!*
PUAN ROHAYA : *Ini rumah Cik Normahkah?*
ORANG GAJI : *Betul. Ini rumah Cik Normah.*
PUAN ROHAYA : *Boleh saya bercakap dengan Cik Normah?*
ORANG GAJI : *Cik Normah tidak ada di rumah. Beliau sudah keluar. Cik ini siapa?*
PUAN ROHAYA : *Oh, saya Puan Rohaya. Tolong beritahu* Cik Normah saya telefon.*
ORANG GAJI : *Baik, Puan.*
PUAN ROHAYA : *Terima kasih.*
ORANG GAJI : *Sama-sama.*

Is This Madam Normah's House?

HOUSEMAID : Hello!
MADAM ROHAYA : Is this Madam Normah's house?
HOUSEMAID : Yes, it is.
MADAM ROHAYA : May I speak to Madam Normah?
HOUSEMAID : Madam Normah is not in. She has gone out. Who's that speaking?
MADAM ROHAYA : Oh, I am Madam Rohaya. Tell Madam Normah that I've called.
HOUSEMAID : Yes, Madam Rohaya.
MADAM ROHAYA : Thank you.
HOUSEMAID : You're welcome.

*In speech, *bilang* (literally, 'to calculate') is used as a synonym of *beritahu*.

Bolehkah Saya Bercakap Dengan Encik Sudirman?

SAMAD : *Helo, bolehkah saya bercakap dengan Encik Sudirman?*
PETUGAS : *Ini siapa?*
SAMAD : *Nama saya Samad, dari Singapura.*
PETUGAS : *Tunggu sebentar .... Maaf, Encik Samad. Di sini tidak ada orang yang bernama Encik Sudirman.*
SAMAD : *Apakah ini nombor 3376391 (tiga-tiga-tujuh-enam-tiga-sembilan-satu)?*
PETUGAS : *Bukan. Ini nomor 3376931 (tiga-tiga-tujuh-enam-sembilan-tiga-satu).*
SAMAD : *Maaf, saya tersalah nombor.*

May I Speak To Mr. Sudirman?

SAMAD : Hello, may I speak to Mr. Sudirman.
OFFICER : Who's that speaking?
SAMAD : My name is Samad, from Singapore.
OFFICER : Hold on for a while .... Sorry Mr. Samad, there is no one by the name of Mr. Sudirman here.
SAMAD : Is that 3376391?
OFFICER : No, this is 3376931.
SAMAD : Sorry, I've dialed the wrong number.

Berapa Lamakah Saya Mesti Menunggu?

PETUGAS : *Perpustakaan Negara.*
LIM : *Bolehkan saya bercakap dengan Cik Mariam?*
PETUGAS : *Harap tunggu sebentar. Telefon Cik Mariam sedang sibuk.*
LIM : *Maafkan saya, saya ada urusan penting yang hendak saya cakapkan dengan Cik Mariam.*
PETUGAS : *Maafkan saya. Saya tidak berani mengganggu percakapannya.*
LIM : *Berapa lamakah saya mesti menunggu?*
PETUGAS : *Tidak lama. Sebentar saja. Ah, telefonnya sudah boleh disambung sekarang.*
MARIAM : *Ini Mariam bercakap.*
LIM : *Selamat pagi, Cik Mariam.*

How Long Must I Wait?

OFFICER : National Library.
LIM : May I speak to Miss Mariam?
OFFICER : Please hold on. Her line is busy at the moment.
Lim : Excuse me, I have important matters to discuss with Miss Mariam.
OFFICER : Sorry, I dare not interrupt her conversation.
LIM : How long must I wait?
OFFICER : Not long, only a short while. Oh, her line is free now.
MARIAM : This is Mariam speaking.
LIM : Good morning, Miss Mariam.

Adakah Ini Pusat Bahasa?

BILL : *Helo, adakah ini Pusat Bahasa?*
PETUGAS : *Ya, ini Pusat Bahasa.*
BILL : *Bolehkah saya bercakap dengan Encik Latif?*
PETUGAS : *Maaf Tuan, Encik Latif sedang bermesyuarat.*
BILL : *Bolehkah saya bercakap dengan pembantunya?*
PETUGAS : *Pembantu Encik Latif sedang bercuti.*
BILL : *Bilakah mesyuarat itu akan selesai?*
PETUGAS : *Saya kurang pasti. Mungkin satu jam lagi.*
BILL : *Kalau begitu, saya akan telefon satu jam lagi.*
PETUGAS : *Baik Encik, terima kasih.*

Is This Pusat Bahasa?

BILL : Hello, is this Pusat Bahasa (lit. Language Centre)
OFFICER : Yes, this is Pusat Bahasa.
BILL : May I speak to Mr. Latif.
OFFICER : Sorry, sir, Mr. Latif is at a meeting.
BILL : May I speak to his assistant.
OFFICER : His assistant is on leave.
BILL : When will the meeting end?
OFFICER : I am not sure. Perhaps in one hour's time.
BILL : If that's the case, I'll telephone again in one hour's time.
OFFICER : Yes, sir. Thank you.

Apakah Ini Nombor 872100?*

RAMLAN : *Helo, apakah ini nombor 872100 (lapan-tujuh-dua-satu-kosong-kosong)?*
JAMIL : *Ya.*
RAMLAN : *Bolehkah saya bercakap dengan Tuan Taylor?*
JAMIL : *Di sini tidak ada yang bernama Tuan Taylor. Mungkin Saudara tersalah nombor.*
RAMLAN : *Tidak mungkin. Tuan Taylor yang memberikan nombor ini kepada saya minggu lepas.*
JAMIL : *Tunggu sebentar. Oh ya, Tuan Taylor adalah pengurus baru kami. Tetapi beliau sudah keluar. Ada apa-apa pesanan yang boleh saya sampaikan.*
RAMLAN : *Tidak ada apa-apa. Cuma tolong beritahunya bahawa Encik Ramlan dari Sabah sudah tiba di Kuala Lumpur.*
JAMIL : *Siapa yang akan saya katakan menelefon?*
RAMLAN : *Saya, Ramlan sendiri.*

Is This Number 872100?

RAMLAN : Hello, is this number 872100?
JAMIL : Yes, that's correct.
RAMLAN : May I speak to Mr. Taylor?
JAMIL : There is no one called Mr. Taylor here. Perhaps you have the wrong number.
RAMLAN : Impossible. Mr. Taylor gave me this number last week.
JAMIL : Hold on for a while. Oh yes, Mr. Taylor is our new manager. But he is out at the moment. Is there any message for him?
RAMLAN : There is none. Just tell him that Mr. Ramlan from

Sabah has arrived in Kuala Lumpur.
JAMIL : Whom shall I say is calling?
RAMLAN : Mr. Ramlan himself.

**Nombor*, 'number'. *Nombor telefon* is 'telephone number'.

Encik Mahu Bercakap Dengan Siapa?

LUM : *Helo, apakah itu Fakulti Sastera, Univesiti Malaya?*
OPERATOR : *Betul. Encik mahu bercakap dengan siapa?*
LUM : *Tolong sambungkan saya dengan Jabatan Sejarah.*
OPERATOR : *Baik, tunggu sebentar.*
SETIAUSAHA : *Jabaran Sejarah di sini. Encik mahu bercakap dengan siapa?*
LUM : *Saya Lum dari Singapura. Saya mahu bercakap dengan Dr. Taib.*
SETIAUSAHA : *Tunggu sebentar, Encik. Saya tidak tahu sama ada Dr. Taib ada atau tidak. Maaf, Encik. Dr. Taib sedang mengajar. Encik mahu meninggalkan pesan?*
LUM : *Tolong beritahu Dr. Taib bahawa Lum dari Singapura kini berada di Kuala Lumpur, dan menginap di Hotel Plaza, bilik nombor 324.*
SETIAUSAHA : *Baik, Encik. Selamat siang.*

Whom Do You Want To Speak To?

LUM : Hello, is this the Faculty of Arts, University of Malaya?
OPERATOR : Yes. Whom do you want to speak to?
LUM : Please connect me to the History Department.
OPERATOR : Yes, please wait a while.
SECRETARY : This is the History Department. Whom do you want to speak to?
LUM : I am Lum from Singapore. May I speak to Dr. Taib, please?

SECRETARY : Hold on for a while. I don't know whether Dr. Taib is in or not .... Excuse me, sir. Dr. Taib is teaching at the moment. Do you want to leave any message?

LUM : Please inform Dr. Taib that Lum from Singapore is now in Kuala Lumpur, staying at the Plaza Hotel, room number 324.

SECRETARY : Yes, sir. Good day.

Bolehkah Saya Membuat Panggilan Jauh?

TAMU HOTEL : *Helo, operator? Bolehkah saya membuat panggilan jauh?*

OPERATOR : *Boleh Encik. Tuan mahu buat panggilan jauh ke mana?*

TAMU HOTEL : *Ke Hong Kong.*

OPERATOR : *Apa nombornya?*

TAMU HOTEL : *Nombornya ialah 1234567 (satu-dua-tiga-empat-lima-enam-tujuh).*

OPERATOR : *Telefon sudah disambung. Encik boleh bercakap sekarang.*

TAMU HOTEL : *Helo, Susan. Saya Robert, menelefon dari Kuala Lumpur.*

May I Make A Long Distance Call?

HOTEL GUEST : Hello, operator? May I make a long distance call?

OPERATOR : Certainly, sir. You want to make a long distance call to ...?

HOTEL GUEST : To Hong Kong.

OPERATOR : What's the number?

HOTEL GUEST : The number is 1234567.

OPERATOR : The line has been connected. You can speak now.

HOTEL GUEST : Hello, Susan. I am Robert, calling from Kuala Lumpur.

Dari Siapa Panggilan Telefon Itu?

A : *Saya dengar Saudara dapat panggilan telefon dari Jakarta.*
B : *Ya, betul.*
A : *Dari siapa panggilan telefon itu?*
B : *Dari Ali, teman kita.*
A : *Apa ceritanya?*
B : *Dia kata dia telah bernikah.*
A : *Apa lagi yang dikatakannya?*
B : *Dia akan pergi ke Pulau Bali untuk berbulan madu.*

Whom Did The Call Come From?

A : I heard that you received a telephone call from Jakarta.
B : Yes, I did.
A : Whom did the call come from?
B : From Ali, our friend.
A : What did he say (lit. What's his story)?
B : He said that he has married.
A : What else did he say?
B : He would be going to Bali Island for his honeymoon.

Adakah Itu Kedai Buku Melati?

A : *Helo, adakah itu Kedai Buku Melati?*
B : *Betul, ini Kedai Buku Melati. Boleh saya tolong?*
A : *Saya sedang mencari sebuah buku yang berjudul* Standard Malay Made Simple. *Encik ada jual buku itu?*
B : *Tunggu sekejap, nanti saya lihat. Maaf, buku itu sudah habis dijual.*
A : *Boleh beritahu saya di mana saya boleh dapatkan buku tersebut?*
B : *Cubalah di Times The Bookshop.*
A : *Terima kasih.*

Is That Melati Bookshop?

A : Hello, is that Melati Bookshop?
B : Yes, it is. May I help you?
A : I am looking for a book entitled *Standard Malay Made Simple*. Do you sell that book?
B : Wait a moment, let me check. Excuse me, sir. The book is out of stock.
A : Can you tell me where I can get the book?
B : Please try Times The Bookshop.
A : Thank you.

14

DAILY ACTIVITES

Kamu Sedang Buat Apa?*

A : *Kamu sedang buat apa?*
B : *Saya sedang membaca.*
A : *Ayah di mana?*
B : *Ayah masih belum pulang dari kerja.*
A : *Ibu di mana?*
B : *Ibu sedang memasak di dapur.*
A : *Ayah akan pulang sebentar lagi. Pergilah bantu Ibu di dapur.*

What Are You Doing?

A : What are you doing?
B : I am reading.
A : Where's father?
B : Father is not back from work yet.
A : Where's mother?
B : Mother's cooking in the kitchen.
A : Father will be back soon. Go and help mother in the kitchen.

*Please note that *kamu* is only used among intimate friends or when speaking to one's junior or inferior. *(Refer to page 33.)*

Bagaimanakah Halnya Kongres Itu?

KAMARIAH : *Cik San, betulkah Cik San menghadiri Kongres Bahasa di Jakarta baru-baru ini?*
SAN : *Betul.*
KAMARIAH : *Bagaimanakah halnya Kongres itu?*
SAN : *Kongres itu menarik sekali.*
KAMARIAH : *Apa yang menarik?*
SAN : *Saya sempat bertemu dan berbincang dengan beberapa orang pakar bahasa Indonesia.*
KAMARIAH : *Apa lagi?*
SAN : *Setiap peserta diberi sebuah kamus dan sebuah buku tatabahasa dengan percuma.*
KAMARIAH : *Saya menyesal sekali tidak menghadirinya.*

How Was The Congress?

KAMARIAH : Miss San, is it true that you attended the Language Congress in Jakarta recently?
SAN : Yes, it is.
KAMARIAH : How was the Congress?
SAN : The Congress was very interesting.
KAMARIAH : What's so interesting about the Congress?
SAN : I had an opportunity to meet a number of Indonesian language experts and had a discussion with them.
KAMARIAH : Anything else?
SAN : Every participant was given a free dictionary and a grammar book.
KAMARIAH : I regret that I did not attend it.

Sudahkah Saudara Berjumpa Doktor?

A : *Ke mana Saudara semalam?*
B : *Saya tidak ke mana-mana. Saya tidur saja di rumah.*
A : *Kenapa? Saudara sakitkah?*
B : *Ya, saya sakit. Kepala saya pening.*
A : *Sudahkah Saudara berjumpa doktor?*
B : *Sudah.*
A : *Apa kata doktor?*
B : *Kata doktor saya harus banyak beristirahat.*
A : *Bagaimana keadaan Saudara sekarang?*
B : *Sekarang sudah beransur baik, terima kasih.*

Did You See The Doctor?

A : Where did you go yesterday?
B : I didn't go anywhere. I slept at home.
A : What's the matter? Are you sick?
B : Yes, I am sick. My head is aching.
A : Did you see the doctor?
B : Yes, I did.
A : What did the doctor say?
B : The doctor said I must rest a lot.
A : How are you now?
B : I am better now, thank you.

Pukul Berapakah Biasanya Saudara Bangun Pagi?*

A : *Pukul berapakah biasanya Saudara bangun pagi?*
B : *Saya bangun kira-kira pukul enam pagi.*
A : *Pukul berapakah Saudara bersarapan?*
B : *Saya bersarapan selalunya pada pukul tujuh.*
A : *Apakah yang Saudara buat pada sebelah petang?*
B : *Biasanya saya belajar atau membaca.*
A : *Apakah yang Saudara buat pada hujung minggu?*
B : *Saya biasanya berolahraga. Kadang-kadang saya mengunjungi teman.*

What Time Do You Usually Get Up?

A : What time do you usually get up?
B : I get up at about six o'clock.
A : What time do you have your breakfast?
B : I always take breakfast at seven o'clock.
A : What do you usually do in the afternoon?
B : I usually study or read.
A : What do you generally do in the weekend?
B : I generally play sports. Now and then I visit my friends.

**Bangun,* 'to wake up' or 'get up'. *Membangun* is 'to build'.

Di Sini Ada Pejabat Pos?

ANTHONY : *Selamat pagi, Encik.*
ZAINUL : *Selamat pagi, Tuan.*
ANTHONY : *Encik dari mana?*
ZAINUL : *Saya dari pejabat. Tuan Anthony mahu ke mana?*
ANTHONY : *Saya mahu ke pejabat pos. Di sini ada pejabat pos?*
ZAINUL : *Ada. Dekat dengan perhentian bas.*
ANTHONY : *Adakah pejabat pos itu jauh dari sini?*
ZAINUL : *Tidak, dekat saja. Kalau berjalan kaki, sepuluh minit sudah sampai.*

Is There A Post Office Nearby?

ANTHONY : Good day, sir.
ZAINUL : Good day, sir.
ANTHONY : Where are you (coming) from?
ZAINUL : I came from the office. Where are you going, Mr. Anthony?
ANTHONY : I want to go to the post office. Is there a post office nearby?
ZAINUL : Yes. (There is one) near the bus station.
ANTHONY : Is the post office far from here?
ZAINUL : No, it's very near. Just ten minutes' walk.

Saya Mahu Mengirim Surat Ini

SUZANA : *Selamat pagi.*
PEGAWAI : *Selamat pagi.*
SUZANA : *Saya mahu mengirim surat ini ke Sabah.*
PEGAWAI : *Dengan pos biasa atau pos udara?*
SUZANA : *Pos udara.*
PEGAWAI : *Lima puluh lima sen.*
SUZANA : *Bolehkah saya membeli setem di sini?*
PEGAWAI : *Tentu boleh, Puan.*

I Would Like To Post This Letter

SUZANA : Good morning.
OFFICER : Good morning.
SUZANA : I would like to post this letter to Sabah.
OFFICER : By ordinary mail or by air mail?
SUZANA : By air mail.
OFFICER : Fifty-five cents.
SUZANA : May I buy stamps here?
OFFICER : Certainly, Madam.

Saudari Mahu Mengirim Bungkusan Ini Ke Mana?

ROSE : *Selamat pagi, Encik.*
PEGAWAI : *Selamat pagi.*
ROSE : *Saya mahu mengirim bungkusan ini.*
PEGAWAI : *Saudari mahu mengirim bungkusan ini ke mana?*
ROSE : *Ke England.*
PEGAWAI : *Dengan pos laut atau udara?*
ROSE : *Pos udara. Berapa harganya?*
PEGAWAI : *Tunggu sebentar**. *Saya timbang bungkusan itu dulu.*

Where Would You Like To Sent The Parcel To?

ROSE : Good morning, sir.
OFFICER : Good morning.
ROSE : I would like to ship this packet.
OFFICER : Where would you like to send the packet to?
ROSE : To England.
OFFICER : By ordinary mail or by air mail?
ROSE : By air mail. How much does it cost?
OFFICER : Wait a moment. I'll weigh it first.

**Tunggu sebentar* is a synonym of *nanti sekejap*.

Cik Mahu Mengirim Telegram Ke Mana?

DIANA : *Saya mahu mengirim telegram.*
PEGAWAI : *Cik mahu mengirim telegram ke mana?*
DIANA : *Ke Singapura.*
PEGAWAI : *Sudahkah Cik mengisi borang ini?*
DIANA : *Belum. Bolehkah saya minta borangnya?*
PEGAWAI : *Ini borangnya. Jangan lupa tulis alamat Cik.*
DIANA : *Berapakah yang harus saya bayar?*
PEGAWAI : *Sebentar, saya hitung dulu.*

Where Do You Want To Send The Telegram?

DIANA : I want to send a telegram.
OFFICER : Where do you want to send the telegram to?
DIANA : To Singapore.
OFFICER : Have you filled in this form?
DIANA : Not yet. May I have the form, please?
OFFICER : Here is the form. Don't forget to write your name.
DIANA : How much must I pay?
OFFICER : A moment, let me calculate first.

Bolehkah Saya Tunaikan Cek Perjalanan Saya?

ROSLI : *Selamat pagi.*
PEGAWAI BANK : *Selamat pagi.*
ROSLI : *Bolehkah saya tunaikan cek perjalanan saya?*
PEGAWAI BANK : *Tentu saja. Adakah cek perjalanan Tuan dalam mata wang Amerika?*
ROSLI : *Betul, cek saya dalam mata wang Amerika. Berapakah nilai pertukaran wang sekarang?*
PEGAWAI BANK : *Satu dolar Amerika sama dengan tujuh ringgit.*
ROSLI : *Saya mahu tunaikan cek perjalanan ini dan juga menukar lima puluh dolar Amerika dengan ringgit.*
PEGAWAI BANK : *Baik, ini wang ringgitnya, Tuan.*

May I Cash My Traveller's Cheques?

ROSLI : Good morning.
BANK OFFICER : Good morning.
ROSLI : May I cash my traveller's cheques here?
BANK OFFICER : Certainly. Are your traveller's cheques in American dollars?
ROSLI : Yes, my cheques are in American dollars. What is the rate of exchange now?
BANK OFFICER : One American dollar equals seven ringgits.
ROSLI : I wish to cash these cheques and change fifty American dollars into ringgits.
BANK OFFICER : OK, here are your ringgits, sir.

Bolehkah Encik Mengajar Saya Memandu Kereta?*

BARKER : *Encik Yusri, bolehkah Encik mengajar saya memandu kereta?*
YUSRI : *Tuan belum boleh memandu kereta?*
BARKER : *Belum, Encik.*
YUSRI : *Bila Tuan mahu belajar?*
BARKER : *Terserah pada Encik Yusri. Encik Yusri ada masakah untuk mengajar saya?*
YUSRI : *Kalau waktu petang saya boleh.*
BARKER : *Bila boleh kita mulai?*
YUSRI : *Bagaimana kalau kita mulai petang nanti.*
BARKER : *Boleh, Encik.*

Can You Teach Me How To Drive?

BARKER : Mr. Yusri, can you teach me how to drive?
YUSRI : Can't you drive?
BARKER : No, I can't.
YUSRI : When do you want to learn?
BARKER : It depends on you. Do you have time to teach me?
YUSRI : Evenings are fine.
BARKER : When can we start?
YUSRI : What do you think if we start this evening.
BARKER : It's all right (with me), Mr. Yusri.

*Please note that *membawa* also means 'to drive' in Malay. *Pemandu* is 'a driver' in Malay, but 'a guide' in Indonesian.

Ada Daging Yang Segar?

PENJUAL : *Selamat pagi, Puan. Puan cari apa?*
ROSNAH : *Saya mahu beli daging. Ada daging lembu yang segar?*
PENJUAL : *Ada, berapa kilo Puan mahu beli?*
ROSNAH : *Daging ini kelihatannya agak keras, mungkin tidak segar lagi.*
PENJUAL : *Tidak Puan. Ini daging lembu yang segar lagi lembut. Berapa kilo Puan mahu beli?*
ROSNAH : *Berapa harganya satu kilo?*
PENJUAL : *Satu kilo dua belas ringgit.*
ROSNAH : *Boleh kurang sedikit?*
PENJUAL : *Maaf, Puan. Ini sudah harga mati.*
ROSNAH : *Baiklah, beri saya satu kilo. Ini duitnya.*

Do You Have Fresh Meat?

SELLER : Good morning, Madam. What are you looking for, Madam?
ROSNAH : I want to buy some meat. Do you have fresh beef?
SELLER : Yes, Madam. How many kilos do you want?
ROSNAH : The meat looks a bit hard, perhaps it isn't that fresh.
SELLER : No, Madam. The meat is fresh and tender. How many kilos do you want to buy?
ROSNAH : What is the price for one kilo?
SELLER : One kilo is twelve ringgits.
ROSNAH : Can you reduce it a little?
SELLER : Sorry, Madam. The price is fixed.
ROSNAH : OK, give me one kilo. Here is the money.

Sandra Hendak Beli Apa?

ROHANI : *Sandra hendak beli apa hari ini?*
SANDRA : *Saya hendak beli daging lembu dan udang besar. Hani hendak beli apa?*
ROHANI : *Saya cuma hendak beli sedikit sayur-mayur dan buah-buahan saja.*
SANDRA : *Mengapa? Awak jaga makankah?*
ROHANI : *Saya sudah terlalu gemuk. Doktor memberi nasihat supaya saya banyak makan sayur-mayur dan buah-buahan.*
SANDRA : *Saya juga sudah tidak berani makan banyak daging lembu dan udang besar.*
ROHANI : *Jadi, kenapa awak beli daging lembu dan udang besar?*
SANDRA : *Hari ini ada tamu datang ke rumah.*
ROHANI : *Patutlah awak beli daging dan udang besar.*

What Are You Going To Buy?

ROHANI : What are you going to buy, Sandra?
SANDRA : I want to buy beef and big prawns. And what are you going to buy, Hani?
ROHANI : I just want to get some vegetables and fruits.
SANDRA : Why, are you dieting?
ROHANI : I am too fat already. The doctor has advised me to eat more vegetables and fruits.
SANDRA : I dare not eat too much beef and big prawns, too.
ROHANI : Then why do you want to buy beef and big prawns?
SANDRA : Today there are some guests coming.
ROHANI : No wonder you are buying beef and big prawns.

Puan Mahu Apa?

PENJUAL : *Selamat pagi, Puan. Puan mahu apa?*
SANDY : *Saya mahu beli sedikit ikan.*
PENJUAL : *Ini ada ikan merah besar-besar*. Baru saja ditangkap. Masih hangat.*
SANDY : *Berapa harganya satu ekor?*
PENJUAL : *Maaf, Puan. Kami tidak menjual kira ekor. Kami jual kira kilo.*
SANDY : *Oh, maaf. Berapa harganya sekilo?*
PENJUAL : *Murah saja, sepuluh ringgit sekilo.*
SANDY : *Mahal sekali. Bolehkah kurang sedikit?*
PENJUAL : *Puan. Ini harga tetap (mati).*
SANDY : *Kalau begitu, berikan saya ikan ini.*
PENJUAL : *Ikan ini tak sampai satu kilo. Lapan ringgit saja. Terima kasih.*

What Would You Like?

SELLER : Good morning, Madam. What would you like, Madam?
SANDY : I want to buy some fish.
SELLER : Here are some big red snappers. They have just been caught. Still warm.
SANDY : How much is one fish?
SELLER : Sorry, Madam. We don't sell by the fish. We sell by the kilo.
SANDY : Oh, sorry. How much is one kilo?
SELLER : Very cheap. Ten ringgits per kilo.
SANDY : So expensive. Can you reduce it a little?
SELLER : Madam, the price is fixed.
SANDY : Give me this fish then.

SELLER : It's less than one kilo. Eight ringgits then. Thank you.

**Besar* means 'big'. *Ada ikan besar-besar* means 'There are big fish' or 'The fish is very big'. *Cantik-cantik* means 'very beautiful' or 'there are many things that are beautiful'.

Encik Sakitkah?

GOPAL : *Maaf, Encik hendak ke mana?*
MAJID : *Saya hendak ke klinik. Dan Encik hendak ke mana?*
GOPAL : *Saya hendak ke pejabat. Encik sakitkah?*
MAJID : *Benar. Hari ini saya kurang** *sihat.*
GOPAL : *Di manakah klinik Encik?*
MAJID : *Di Jalan Sentosa.*
GOPAL : *Pejabat saya juga di Jalan Sentosa. Mari saya hantarkan Encik ke klinik itu.*
MAJID : *Terima kasih atas kebaikan Encik.*

Are You Ill?

GOPAL : Excuse me, where are you going?
MAJID : I am going to the clinic. And where are you going?
GOPAL : I am going to the office. Are you ill?
MAJID : Yes. I don't feel well today.
GOPAL : Where is your clinic?
MAJID : At Jalan Sentosa.
GOPAL : My office is also at Jalan Sentosa. Let me send you to the clinic.
MAJID : Thank you for your kindness.

[*] *Kurang* means 'not enough' or 'not quite'. *Kurang sihat* means 'not quite healthy'; *kurang faham* is 'not quite understand'. It is a polite way of saying 'not' in Malay.

Apa Masalah Saudari?

DOKTOR : *Silakan duduk. Apa masalah Saudari?*
MANJIT : *Saya tidak boleh tidur akhir-akhir ini.*
DOKTOR : *Sudah berapa lama Saudari tidak boleh tidur?*
MANJIT : *Sudah hampir seminggu.*
DOKTOR : *Bagaimana selera Saudari?*
MANJIT : *Saya juga tidak ada nafsu makan**.
DOKTOR : *Baiklah saya periksa dulu. Sila buka mulut.*
MANJIT : *Apa sakit saya, doktor?*
DOKTOR : *Jangan khuatir. Saudari hanya terlalu letih. Banyakkanlah beristirahat.*
MANJIT : *Terima kasih, doktor.*

What's Your Problem?

DOCTOR : Please sit down. What's your problem?
MANJIT : I can't sleep lately.
DOCTOR : How long have you been like this (can't sleep)?
MANJIT : About one week.
DOCTOR : How is your appetite?
MANJIT : I have no appetite either.
DOCTOR : Let me examine (you) first. Please open your mouth.
MANJIT : What's wrong with me, doctor?
DOCTOR : Don't worry. You are too tired. You should rest more.
MANJIT : Thank you, doctor.

*The synonym of *nafsu makan* is *selera*.

Tuan Sakit Apa?

CHARLES : *Selamat pagi, doktor.*
DOKTOR : *Selamat pagi, sila duduk. Tuan sakit apa?*
CHARLES : *Saya sakit perut.*
DOKTOR : *Jangan khuatir, saya akan periksa Tuan. Tolong buka mulut. Sekarang baring di sini.*
CHARLES : *Baik, doktor.*
DOKTOR : *Tuan makan apa semalam?*
CHARLES : *Saya tidak makan apa-apa. Saya hanya makan rojak di kantin pejabat.*
DOKTOR : *Tuan salah makan rupanya. Tapi jangan khuatir. Tuan minum ubat yang saya beri dan Tuan akan sembuh dengan segera.*
CHARLES : *Terima kasih, doktor.*

What's Wrong With You?

CHARLES : Good morning, doctor.
DOCTOR : Good morning, please sit down. What's wrong with you?
CHARLES : I have a stomach ache.
DOCTOR : Don't worry. I'll examine you. Open your mouth. Now, lie here.
CHARLES : Yes, doctor.
DOCTOR : What did you eat yesterday?
CHARLES : I didn't eat anything. Just a plate of mixed vegetable salad in the office canteen.
DOCTOR : It seems you have food poisoning. But don't worry. Take the medicine that I'll give you, and you'll get well soon.
Charles : Thank you, doctor.

Encik Sakit Apa?

JOHN	:	*Selamat petang, doktor.*
DOKTOR	:	*Selamat petang, sila duduk. Encik sakit apa?*
JOHN	:	*Saya tidak tahu. Saya demam dan hampir hilang suara.*
DOKTOR	:	*Cuba buka mulut Encik . Tolong buka baju Encik juga. Saya mahu periksa paru-paru Encik.*
JOHN	:	*Baik, doktor.*
DOKTOR	:	*Encik kena demam selesema. Tapi jangan bimbang. Minum ubat yang saya beri dan Encik akan sembuh dengan segera. Sekarang Encik boleh ambil ubat di luar.*

What's Wrong With You?

JOHN	:	Good afternoon, doctor.
DOCTOR	:	Good afternoon. Please sit down. What's wrong with you?
JOHN	:	I don't know. I have a fever and have almost lost my voice.
DOCTOR	:	Please open your mouth. Please take off you shirt too. I want to examine your chest.
JOHN	:	Yes, doctor.
DOCTOR	:	You have a bad cold. But don't worry. Take the medicine that I'll give you and you'll recover very soon. Now you may go outside to take your medicine.

Tuan Makan Apa Semalam?

SIM : *Selamat pagi, doktor.*
DOKTOR : *Selamat pagi. Sila duduk. Apa yang dapat saya tolong?*
SIM : *Sejak semalam perut saya sakit.*
DOKTOR : *Jangan khuatir, saya akan periksa Tuan. Tuan makan apa semalam?*
SIM : *Saya makan sepinggan mi goreng di warong.*
DOKTOR : *Tuan salah makan rupanya. Tuan minum ubat ini tiga kali sehari, sampai habis.*
SIM : *Doktor, bolehkah saya makan mi goreng?*
DOKTOR : *Sebaiknya* * *untuk sementara, jangan makan mi goreng dulu.*
SIM : *Bagaimana dengan buah-buahan? Bolehkah saya makan?*
DOKTOR : *Buah-buahan juga sebaiknya jangan makan. Minumlah air banyak-banyak. Ingat, air itu harus dimasak dulu. Tuan akan sembuh dalam masa yang singkat.*
SIM : *Terima kasih. Saya akan ikut nasihat doktor.*

What Did You Eat Yesterday?

SIM : Good morning, doctor.
DOCTOR : Good morning. Please sit down. What can I do for you?
SIM : Since yesterday I have had a stomach ache.
DOCTOR : Don't worry. I'll examine you. What did you eat yesterday?
SIM : I ate a plate of fried noodles at a food stall.
DOCTOR : It seems you have food poisoning. Take this

medicine three times a day till it is finished.

SIM : Doctor, may I still eat fried noodles?

DOCTOR : It's better that you don't eat fried noodles for the time being.

SIM : May I eat fruits?

DOCTOR : Don't eat fruits either. Drink a lot of water. Remember, the water must be boiled. You'll be well in a short time.

SIM : Thank you, doctor. I'll certainly take your advice.

*_Se + baik + nya = sebaiknya_, 'better', 'best'. The basic meaning of _baik_ is 'fine', 'good' or 'all right'. _Baik, Tuan_ means 'All right, sir'.

Ada Sesiapa Duduk Di Sini?

A : *Maafkan saya, ada sesiapa duduk di sini?*
B : *Tidak ada, tempat ini kosong*[*].
A : *Bolehkah saya duduk di sini?*
B : *Silakan.*
A : *Itu suratkhabar hari inikah?*
B : *Ya, betul.*
A : *Bolehkah saya meminjamnya?*
B : *Maaf, saya masih belum habis membacanya.*
A : *Kalau begitu, tidak mengapa.*

Is There Anyone Sitting Here?

A : Excuse me, is there anyone sitting here?
B : No, there isn't.
A : May I sit here?
B : Please do.
A : Is that today's newspaper?
B : Yes, it is.
A : May I borrow it?
B : Sorry, I haven't finished reading it yet.
A : In that case, it doesn't matter.

[*]*Kosong* means 'empty', 'not occupied' or 'zero'.

Awak Hendak Pergi Ke Bandar?

A : *Awak hendak pergi ke bandar pagi ini?*
B : *Ya, sebentar lagi, awak mahu ikut?*
A : *Tidak. Saya tidak boleh keluar pagi ini. Bolehkah awak tolong saya?*
B : *Tentu boleh.*
A : *Tolong kembalikan buku-buku ini ke perpustakaan.*
B : *Perpustakaan yang mana?*
A : *Perpustakaan Negara yang di Stamford Road.*
B : *Baiklah, saya akan kembalikan buku-buku itu untuk awak.*

Will You Be Going To Town?

A : Will you be going to town this morning?
B : Yes, in a short while. Are you coming along?
A : No, I can't go out this morning. Can you do me a favour?
B : Certainly.
A : Can you return these books to the library?
B : Which library?
A : The National Library at Stamford Road.
B : OK. I'll return the books for you.

Bolehkah Saudara Pinjami Saya ...?

PAUL : *Bolehkah Saudara pinjami saya seribu dolar lagi?*
BAKAR : *Pinjam seribu dolar lagi? Apakah wang yang saya pinjamkan pada Saudara tidak cukup?*
PAUL : *Ya, tidak cukup, kerana saya mahu membeli sebuah komputer baharu.*
BAKAR : *Berapa harga komputer itu?*
PAUL : *Lima ribu dolar.*
BAKAR : *Maaf, kebetulan saya kehabisan wang. Pinjamlah dari Peter.*
PAUL : *Saudara fikir Peter ada wangkah untuk dipinjamkan kepada saya?*
BAKAR : *Saya fikir dia ada wang.*

Can You Lend Me ...?

PAUL : Can you lend me another one thousand dollars?
BAKAR : Lend you another one thousand dollars? Isn't the money I lent you enough?
PAUL : No, it is not enough, because I also want to buy a new computer.
BAKAR : How much does a new computer cost?
PAUL : Five thousand dollars.
BAKAR : I am sorry. I am running out of money at the moment. Please borrow from Peter.
PAUL : Do you think Peter has the money to lend me?
BAKAR : I think he has.

Saudara Ada Duitkah?

ADNAN : *Saudara ada duitkah?*
KAMAL : *Ada tapi tak banyak.*
ADNAN : *Bolehkah saya pinjam seratus ringgit?*
KAMAL : *Boleh, tapi saya tidak ada wang sebanyak itu.*
ADNAN : *Lima puluh pun jadilah.*
KAMAL : *Bila Saudara boleh bayar balik?*
ADNAN : *Minggu* depan.*
KAMAL : *Baiklah. Ini lima puluh ringgit. Jangan lupa bayar balik wang saya minggu depan.*
ADNAN : *Terima kasih. Saya tidak akan lupa.*

Do You Have Money?

ADNAN : Do you have money?
KAMAL : Yes, but not much.
ADNAN : May I borrow one hundred ringgits?
KAMAL : No, I don't have that much.
ADNAN : Fifty ringgits will also do.
KAMAL : When can you pay (me) back?
ADNAN : Next week.
KAMAL : All right. Here is fifty ringgits. Don't forget to pay me back next week.
ADNAN : Thank you. I won't forget.

**Minggu* means 'week' as well as 'Sunday' (*Hari Minggu*). Please note for Sunday *Hari Ahad* is often used.

Bagaimana Majlis Jamuan Makan ...?

A : *Bagaimana dengan majlis jamuan makan malam tadi?*
B : *Boleh tahan.*
A : *Maksud Saudara?*
B : *Tidak banyak orang datang.*
A : *Bagaimana makanannya?*
B : *Makanannya* boleh tahan juga tetapi terlalu pedas.*
A : *Saudara tidak makan pedas?*
B : *Saya suka makanan pedas tetapi makanan malam tadi terlalu pedas untuk saya.*

How Was The Dinner Party ...?

A : How was the dinner party last night?
B : It was all right.
A : What do you mean?
B : Not many people turned up.
A : How was the food?
B : The food was so-so but too spicy.
A : Don't you like spicy food?
B : I like spicy food, but the food last night was too spicy for me.

**Boleh tahan*, 'so-so', 'nothing special' may mean 'quite acceptable' in the positive sense.

15

SETTLING DOWN IN MALAYSIA

Ada Yang Dapat Saya Tolong?

LIM : *Selamat pagi, Encik.*
PEGAWAI : *Selamat pagi. Ada yang dapat saya tolong?*
LIM : *Ya, Encik. Saya hendak membuat kad pengenalan.*
PEGAWAI : *Apakah Saudara orang Indonesia?*
LIM : *Saya bukan orang Indonesia. Saya orang Singapura. Saya penduduk tetap di sini.*
PEGAWAI : *Saya belum pernah memberikan kad pengenalan kepada orang asing, seperti Saudara. Maaf, Saudara seharusnya pergi ke Pejabat Imigresen dahulu, kemudian baru ke sini.*
LIM : *Terima kasih.*

Is There Anything I Can Do For You?

LIM : Good morning, sir.
OFFICER : Good morning. Is there anything I can do for you?
LIM : Yes, sir. I wish to apply for an identity card.
OFFICER : Are you an Indonesian?
LIM : No, I am not an Indonesian. I am a Singaporean. I am a permanent resident here.
OFFICER : I have not granted any identity card to foreigners like you. You must go to the Immigration Department first, then come back here.
LIM : Thank you.

*Saya Mahu Memohon Kad Pengenalan**

SALLY : *Selamat pagi, Encik. Saya mahu memohon kad pengenalan.*
PEGAWAI : *Sila duduk dan isi borang ini.*
SALLY : *Sudah, Encik. Ini borangnya.*
PEGAWAI : *Bolehkah saya lihat pasport asli Saudari dan surat keterangan dari Imigresen?*
SALLY : *Ini pasport asli saya dan surat keterangan dari Imigresen. Apa lagi yang perlu saya siapkan?*
PEGAWAI : *Semuanya sudah lengkap. Tinggal dua keping gambar pasport berukuran 2 × 3 cm (dua kali tiga sentimeter). Kad pengenalan Saudari akan kami siapkan secepat mungkin.*
SALLY : *Ini gambar pasport saya, Encik. Bila saya boleh mengambil kad pengenalan saya?*
PEGAWAI : *Kira-kira seminggu lagi.*
SALLY : *Terima kasih atas bantuan Encik.*

I Wish To Apply For An Identity Card

SALLY : Good morning, sir. I wish to apply for an identity card.
OFFICER : Please sit down and fill in this form.
SALLY : Filled in already, sir. Here is the form.
OFFICER : May I see your original passport and the letter of explanation from the Immigration Department?
SALLY : Here is my original passport and the letter of explanation from the Immigration Department. Is there anything that I must get ready?
OFFICER : Everything is complete now. Just two more 2 × 3 cm photos are needed. We will get ready your identity card as soon as possible.

SALLY : Here are my photos. When can I collect my identity card?
OFFICER : In about a week's time.
SALLY : Thank you for your assistance.

**Kenal* means 'to know'; *mengenal* means 'to recognize' or 'identify'; *kad pengenalan* is 'identity card'.

Bolehkah Orang Asing Bekerja Di Sini?

DANNY : *Encik Tan, bolehkah orang asing seperti saya bekerja di sini?*

TAN : *Orang asing sebenarnya tidak dibenarkan bekerja di sini. Tetapi bagi seorang pakar seperti Tuan ini lain.*

DANNY : *Jadi, saya boleh bekerja di sini?*

TAN : *Tentu boleh. Kami sangat memerlukan tenaga pakar seperti Tuan.*

DANNY : *Apa yang patut saya lakukan kalau saya ingin bekerja di sini?*

TAN : *Tuan perlu memohon permit kerja.*

DANNY : *Susahkah untuk mendapat permit kerja?*

TAN : *Saya fikir tidak susah. Ajukanlah permohonan Tuan kepada Kementerian Sumber Manusia.*

DANNY : *Terima kasih atas keterangan Encik.*

Can A Foreigner Work Here?

DANNY : Mr. Tan, can a foreigner like me work here?

TAN : Foreigners usually are not allowed to work here. But an expert like you is an exception.

DANNY : So, I can work here then?

TAN : Certainly. We need experts like you.

DANNY : What must I do if I want to work here?

TAN : You must apply for a work permit.

DANNY : Is it difficult to get a work permit?

TAN : I don't think so. Just submit your application to the Ministry of Human Resources.

DANNY : Thank you for your explanation.

Sudah Biasa Tinggal Di Kuala Lumpur?

LIM : *Hai, Peter, Saudara hendak pergi ke mana?*
PETER : *Tidak ke mana-mana. Saya hendak pergi kerja?*
LIM : *Sudah lama Saudara kerja di Kuala Lumpur?*
PETER : *Kira-kira setahun.*
LIM : *Bagaimana, sudah biasa tinggal di Kuala Lumpur?*
PETER : *Sudah juga, tapi ...*
LIM : *Tapi apa?*
PETER : *Saya selalu terkenang* akan keluarga di Singapura.*

How Do You Like Working In Kuala Lumpur?

LIM : Hey, Peter, where are you going?
PETER : Not anywhere. I am going to work.
LIM : Have you been working long in Kuala Lumpur?
PETER : About a year.
LIM : How do you like working in Kuala Lumpur?
PETER : I quite like it, but ...
LIM : But what?
PETER : I miss my family in Singapore.

**Terkenang* literally means 'to think of'.

Saya Mahu Memohon Lesen Memandu Antarabangsa

HENRY : *Maaf, Encik. Saya mahu memohon Lesen Memandu Antarabangsa.*
KUMAR : *Adakah Tuan mempunyai lesen memandu sebelum ini?*
HENRY : *Ya, saya ada, tetapi lesen memandu Singapura.*
KUMAR : *Jadi, Tuan hendak Lesen Memandu yang bagaimana?*
HENRY : *Saya mahu tukar lesen memandu saya kepada Lesen Memandu Antarabangsa.*
KUMAR : *Oh, Lesen Memandu Antarabangsa. Kalau begitu, silakan isi borang ini.*
HENRY : *Adakah saya perlu mengambil ujian?*
KUMAR : *Saya fikir tidak perlu. Ini Lesen Memandu Antarabangsa Tuan, sudah pun siap.*
HENRY : *Terima kasih atas bantuan Encik.*

I Want To Apply For An International Driver's Licence

HENRY : Excuse me, sir. I want to apply for a driver's licence?
KUMAR : Do you already have a driver's licence?
HENRY : Yes, I already have one, but from Singapore.
KUMAR : So, what kind of driver's licence do you want?
HENRY : I want to change my (Singapore) driver's licence to an international one.
KUMAR : International driver's licence? So it is. In that case, please fill in this form.
HENRY : Do I have to take any test?

KUMAR : No, I don't think so. Here, your international driver's licence is ready.

HENRY : Thank you for your assistance.

Pernahkah Saudari Bekerja?

RAFIDAH : *Selamat pagi, Encik.*
ENCIK SAMSUL : *Selamat pagi. Silakan duduk. Pernahkah Saudari bekerja sebelum ini?*
RAFIDAH : *Pernah, Encik. Di sebuah syarikat swasta.*
ENCIK SAMSUL : *Sudah berapa lama Saudari bekerja?*
RAFIDAH : *Lebih kurang sepuluh tahun.*
ENCIK SAMSUL : *Mengapa Saudari berhenti?*
RAFIDAH : *Gajinya terlalu rendah, Encik.*
ENCIK SAMSUL : *Kalau begitu, tunggu saja dulu. Saya akan menghubungi Saudari kemudian.*
RAFIDAH : *Baik, Encik. Selamat siang.*
ENCIK SAMSUL : *Selamat siang.*

Have You Ever Worked Before?

RAFIDAH : Good morning, sir.
MR. SAMSUL : Good morning. Please sit down. Have you ever worked before?
RAFIDAH : Yes, sir. In a private firm.
MR. SAMSUL : How long have you been working?
RAFIDAH : For about ten years.
MR. SAMSUL : Why did you resign?
RAFIDAH : The salary was too low.
MR. SAMSUL : If that is the case, please wait first. I will contact you later.
RAFIDAH : Yes, sir. Good day.
MR. SAMSUL : Good day.

Pernahkah Encik Menjadi ...?

SAMUEL : *Encikkah yang bernama Mansur?*
MANSUR : *Ya, Tuan. Nama saya Mansur.*
SAMUEL : *Di mana Encik Mansur tinggal?*
MANSUR : *Saya tinggal di Petaling Jaya.*
SAMUEL : *Pernahkah Encik menjadi pemandu peribadi sebelum ini?*
MANSUR : *Pernah, Tuan. Saya pernah menjadi pemandu seorang Australia.*
SAMUEL : *Mengapa Encik berhenti sekarang?*
MANSUR : *Beliau sudah berpindah ke Singapura.*
SAMUEL : *Sudah berapa lama Encik bekerja dengan orang Australia itu?*
MANSUR : *Kira-kira lima tahun.*
SAMUEL : *Baiklah Encik Mansur. Mulai esok, Encik boleh bekerja dengan saya.*
MANSUR : *Terima kasih, Tuan.*

Have You Been A ...?

SAMUEL : Are you Mr. Mansur?
MANSUR : Yes, sir. My name is Mansur.
SAMUEL : Where do you live, Mr. Mansur?
MANSUR : I live in Petaling Jaya.
SAMUEL : Have you ever been a private chauffeur before?
MANSUR : Yes, sir. I was once the chauffeur to an Australian.
SAMUEL : Why did you stop working (for him)?
MANSUR : He has moved to Singapore.
SAMUEL : How long had you been working for the Australian?
MANSUR : For about five years.
SAMUEL : All right, Mr. Mansur. From tomorrow, you can

work for me.

MANSUR : Thank you, sir.

Adakah Encik Kassim Mahu Menjadi Pembantu Rumah?

ALAN : *Adakah Encik Kassim mahu menjadi pembantu rumah?*
KASSIM : *Mahu, Tuan.*
ALAN : *Encik Kassim tinggal di mana?*
KASSIM : *Saya tinggal di Ulu Klang.*
ALAN : *Berapakah umur Encik Kassim sekarang?*
KASSIM : *Umur saya 35 (tiga puluh lima) tahun.*
ALAN : *Encik sudah berkeluarga?*
KASSIM : *Saya sudah berkahwin dan ada dua orang anak.*
ALAN : *Encik Kassim, pernahkah Encik menjadi pembantu rumah sebelum ini?*
KASSIM : *Pernah, Tuan. Saya pernah menjadi pembantu rumah sebuah keluarga Inggeris.*
ALAN : *Mengapa Encik tidak bekerja lagi dengan mereka?*
KASSIM : *Sekarang mereka sudah kembali* ke England.*
ALAN : *Baiklah, Encik Kassim. Mulai esok, Encik boleh bekerja di rumah saya.*
KASSIM : *Terima kasih, Tuan.*

Do You Wish To Be A Servant?

ALAN : Do you wish to be a servant, Mr. Kassim?
KASSIM : Yes, sir.
ALAN : Where do you live?
KASSIM : I live in Ulu Klang.
ALAN : How old are you now?
KASSIM : I am 35.
ALAN : Do you have a family?
KASSIM : I am married and have two children.

ALAN : Mr. Kassim, have you ever been a servant before?
KASSIM : Yes, sir. I once worked for an English family.
ALAN : Why did you stop working for them?
KASSIM : They have gone back to England.
ALAN : All right, Mr. Kassim. From tomorrow, you can work in my house.
KASSIM : Thank you, sir.

*Please note that *pulang* or *balik* is always used as a synonym of *kembali*.

Saudarikah Yang Memohon Jawatan Penterjemah?*

SALMAH : *Selamat pagi, Tuan.*
ANTHONY : *Selamat pagi. Silakan duduk. Saudarikah yang memohon jawatan penterjemah?*
SALMAH : *Ya, Tuan.*
ANTHONY : *Pernahkah Saudari menjadi penterjemah sebelum ini?*
SALMAH : *Belum pernah, Tuan.*
ANTHONY : *Bolehkah Saudari melakukan tugas seorang penterjemah?*
SALMAH : *Boleh, Tuan. Saya pernah belajar terjemahan di universiti. Dan bahasa Inggeris saya baik.*
ANTHONY : *Baiklah. Kalau Saudari memenuhi syarat, nanti kami akan hubungi Saudari.*

Are You Applying For The Post Of Interpreter?

SALMAH : Good morning, sir.
ANTHONY : Good morning. Please sit down. Are you applying for the post of interpreter?
SALMAH : Yes, sir.
ANTHONY : Have you ever been an interpreter before?
SALMAH : No, sir.
ANTHONY : Can you carry out the duties of an interpreter?
SALMAH : Yes, I can, sir. I studied translation at the university. And my English is good.
ANTHONY : That's all. If you meet the requirements, we'll contact you.

*Please note that nouns formed from verbs always follow the rules of the verb form:

memandu (to drive) – *pemandu* (drivers)
menolong (to assist) – *penolong* (assistant)
mengarang (to write) – *pengarang* (writers)

According to rules, an interpreter should be *penerjemah*, but *penterjemah* is used in the dialogue because *terjemah* (to interpret) is still regarded as a word of foreign origin.

Bolehkah Awak Carikan Saya Seorang Jururawat?

ATAN	:	*Encik Hashim, bolehkah awak carikan saya seorang jururawat?*
HASHIM	:	*Boleh, jururawat yang bagaimana Tuan kehendaki?*
ATAN	:	*Kalau boleh, jururawat yang berpengalaman. Tidak terlalu muda dan juga tidak terlalu tua.*
HASHIM	:	*Bagaimana dengan pendidikannya?*
ATAN	:	*Tentu yang sudah lulus dari sekolah jururawat.*
HASHIM	:	*Bagaimana dengan gajinya?*
ATAN	:	*Saya akan bayar sesuai dengan peraturan pemerintah. Masa kerja juga sama seperti di klinik.*
HASHIM	:	*Baik, Tuan. Saya akan carikan.*

Can You Find Me A Private Nurse?

ATAN	:	Mr. Hashim, can you find me a private nurse?
HASHIM	:	Certainly. What type of nurse do you need?
ATAN	:	If possible, an experienced nurse. Not too young and not too old.
HASHIM	:	What about the education standard?
ATAN	:	Certainly a graduate from a nursing school.
HASHIM	:	How about the salary?
ATAN	:	The salary will be paid in accordance with government specifications. Working hours will be similar to those of a clinic.
HASHIM	:	All right, sir. I'll find one (for you).

16

IN THE OFFICE

Awak Sedang Buat Apa?

HASSAN : *Awak sedang buat apa, Lina?*
LINA : *Saya sedang menaip surat ini, Tuan.*
HASSAN : *Talib sedang buat apa?*
LINA : *Dia sedang memeriksa surat-surat yang keluar.*
HASSAN : *Bagus. Anna dan Lisa sedang buat apa?*
LINA : *Mereka sedang bekerja di bilik fotokopi.*
HASSAN : *Dan kerani yang baru itu? Apa yang sedang dilakukannya*[*]*?*
LINA : *Dia sedang berehat*[**] *dan minum kopi.*

What Are You Doing?

HASSAN : What are you doing, Lina?
LINA : I am typing this letter, sir.
HASSAN : What's Talib doing?
LINA : He is checking the outgoing correspondence.
HASSAN : Good. What are Anna and Lisa doing?
LINA : They're working in the photocopying room.
HASSAN : And the new clerk? What's he doing?
LINA : He is taking his coffee break now.

[*] *Laku* or *melaku* means 'to do something'; *dilakukannya* is derived from *di* + *laku* + *kan* + *nya*, 'what is being done by him/her'.
[**] *Berehat* is often shortened to *rehat* in speech, means 'break' or 'pause'. *Istirahat* is often used in more formal speech.

Ada Panggilan Telefon Untuk Tuan

SETIAUSAHA	:	*Tuan Tan, ada panggilan telefon untuk Tuan.*
TAN	:	*Saya sedang sibuk. Tolong jangan ganggu saya. Terima saja pesanannya.*
SETIAUSAHA	:	*Apa lagi yang patut saya lakukan?*
TAN	:	*Oh, ya. Tolong buatkan fotokopi halaman ini.*
SETIAUSAHA	:	*Baik, Tuan. Apa lagi yang dapat saya bantu?*
TAN	:	*Tolong telefon isteri saya, katakan** yang saya pulang lewat hari ini.*
SETIAUSAHA	:	*Baik, Tuan.*

There's A Telephone Call For You

SECRETARY	:	Mr. Tan, there is a telephone call for you.
TAN	:	I am very busy right now. Please don't disturb me. Just take down the message.
SECRETARY	:	Anything else that I should do?
TAN	:	Oh yes. Please make copies of these pages.
SECRETARY	:	Yes, sir. Is there anything else that I can help you with?
TAN	:	Please telephone my wife and tell her that I'll be home late.
SECRETARY	:	Yes, sir.

*In speech, *bilang,* 'to count', is often used as a synonym for *katakan*, 'to say'.

Sudah Lamakah Saudara Bekerja Di Sini?

A : *Sudah lamakah Saudara bekerja di sini?*
B : *Belum. Saya baru saja bekerja bulan lepas.*
A : *Jadi, Saudara pekerja baru di sini, bukan?*
B : *Ya, betul. Dan Saudara?*
A : *Saya sudah lima tahun bekerja di sini.*
B : *Bagaimana perasaan Saudara bekerja di sini.*
A : *Saya suka sekali bekerja di sini.*
B : *Bagaimana gaji di syarikat ini?*
A : *Gaji di syarikat ini lumayan.*

Have You Been Working Here Long?

A : Have you been working here long?
B : Not at all. I just started work last month.
A : So you're a new employee here, aren't you?
B : Yes, you're right. And you?
A : I've been working here for five years.
B : How do you find working here?
A : I like working here very much.
B : How's the salary like in this company?
A : The salary in this company is enough.

Saya Mahu Minta Cuti

A : *Selamat pagi, Tuan.*
B : *Selamat pagi. Silakan duduk. Ada apa, Ali?*
A : *Saya mahu minta cuti, Tuan.*
B : *Sudah berapa lamakah awak bekerja di sini?*
A : *Hampir setahun, Tuan.*
B : *Mengapa awak hendak minta cuti?*
A : *Saya sakit, Tuan. Saya kurang sihat.*
B : *Kalau begitu awak tidak perlu minta cuti. Awak boleh beristirahat kerana sakit. Cuti awak boleh diambil kemudian saja.*
A : *Terima kasih, Tuan.*

I Want To Take Leave

A : Good morning, sir.
B : Good morning. Please sit down. What's the matter, Ali?
A : I want to take leave, sir.
B : How long have you been working here?
A : For almost a year.
B : Why do you ask for leave?
A : I am sick, sir. My health has been affected.
B : In that case, you don't need to ask for an official leave. You can take a rest because of illness. You can take your leave later.
A : Thank you, sir.

Saya Harus Siapkan Semua Dokumen Eksport Ini

A : *Anda kelihatan sibuk benar hari ini.*
B : *Saya memang sibuk hari ini. Saya harus siapkan semua dokumen eksport ini.*
A : *Tidak adakah orang lain yang dapat membantu Anda?*
B : *Ada, tetapi pekerjaan ini adalah tanggungjawab saya.*
A : *Mengapa tergesa-gesa? Apa salahnya terlambat satu dua hari?*
B : *Ini urusan yang sangat penting. Kerja ini tidak boleh ditunda. Kalau ditunda, perjalanan syarikat akan terganggu.*
A : *Anda memang seorang pengurus yang baik.*

I Must Complete All These Export Documents

A : You seem to be very busy today.
B : Yes, I am very busy today. I must complete all these export documents.
A : Isn't there anyone else who can help you?
B : Yes, there is, but this work is my responsibility.
A : Why in a hurry? What does it matter if it is late by one or two days?
B : It is a very urgent matter. This work cannot be delayed. If it is delayed, the running of the company will be affected.
A : You're really a good manager.

Sudahkah Awak Tulis Minit Mesyuarat?

SETIAUSAHA : *Selamat pagi, Tuan.*
TUAN BILL : *Selamat pagi. Sudahkah awak tulis minit mesyuarat?*
SETIAUSAHA : *Sudah, Tuan. Saya sedang menaipnya.*
TUAN BILL : *Kalau sudah selesai, buatlah dua salinan. Satu untuk disimpan dan satu lagi dikirimkan kepada Encik Tam.*
SETIAUSAHA : *Baik, Tuan.*
TUAN BILL : *Dan lagi, saya ada urusan penting pagi ini. Jangan benarkan sesiapa masuk ke bilik saya.*
SETIAUSAHA : *Baik, Tuan.*

Have You Finished Writing The Minutes Of The Meeting?

SECRETARY : Good morning, sir.
MR. BILL : Good morning. Have you finished writing the minutes of the meeting?
SECRETARY : I have, sir. I am typing them now.
MR. BILL : When you have finished, make two copies of it. One for keeping and the other to be sent to Mr. Tam.
SECRETARY : Yes, sir.
MR. BILL : Also, I have important matters (to do) this morning. Don't let anyone come into my room.
SECRETARY : Yes, sir.

Mengapa Awak Tidak Bekerja?

A : *Mengapa awak tidak bekerja?*
B : *Saya sedang berehat.*
A : *Adakah sekarang ini waktu rehat?*
B : *Ya, sekarang waktu rehat. Awak tidak berehat?*
A : *Tidak, saya tidak sempat untuk berehat.*
B : *Mengapa?*
A : *Saya harus selesaikan laporan mesyuarat.*
B : *Awak memang seorang pekerja yang tekun.*

Why Aren't You Working?

A : Why aren't you working?
B : I am resting.
A : Is it time for resting now?
B : Yes, it is time for resting. Aren't you going to take a break?
A : No, I have no time to rest.
B : Why?
A : I must finish the report of the meeting.
B : You are a hardworking employee.

Apa Yang Sedang Dilakukan Norlia?

A : *Apa yang sedang dilakukan Norlia?*
B : *Saya tidak tahu. Dia tidak ada di mejanya.*
A : *Mungkin dia sedang minum teh?*
B : *Dia juga tidak ada di kantin. Ada apa, Encik?*
A : *Tuan Yahya sedang mencari Norlia.*
B : *Oh itu Norlia. Dia baru keluar dari bilik fotokopi.*
A : *Oh, ya. Panggil dia. Encik Yahya sedang menunggunya di bilik mesyuarat.*

What's Norlia Doing?

A : What's Norlia doing?
B : I don't know. She isn't at her desk.
A : Maybe she's having tea?
B : She isn't at the canteen either. What's the matter, sir?
A : Mr. Yahya is looking for Norlia.
B : Oh, that's Norlia. She's coming out from the photocopying room.
A : Oh, yes. Please call her. Mr. Yahya is waiting for her at the meeting room.

Bolehkah Saya Berjumpa Dengan Encik Karim?

ARIFFIN	:	*Selamat pagi. Bolehkah saya berjumpa dengan Encik Karim?*
PEYAMBUT TAMU	:	*Apakah Encik sudah membuat janji?*
ARIFFIN	:	*Ya, pukul 9.30 (sembilan setengah) pagi.*
PEYAMBUT TAMU	:	*Maaf, siapa nama Encik?*
ARIFFIN	:	*Ariffin, nama saya Ariffin.*
PEYAMBUT TAMU	:	*Oh ya, Encik Karim sedang menunggu kedatangan Encik. Sila masuk terus ke bilik beliau.*

May I See Mr. Karim, Please?

ARIFFIN	:	Good morning. May I see Mr. Karim, please?
RECEPTIONIST	:	Do you have an appointment?
ARIFFIN	:	Yes, at half past nine.
RECEPTIONIST	:	Excuse me, what's your name?
ARIFFIN	:	Ariffin, my name is Ariffin.
RECEPTIONIST	:	Oh yes, Mr. Karim is waiting for you. Please go directly to his room.

Sudah Berapa Kali Awak ...?

SMITH : *Awak terlambat lagi pagi ini.*
AHMAD : *Ya, Tuan, tapi hanya 10 (sepuluh) minit.*
SMITH : *Sudah berapa kali awak terlambat minggu ini?*
AHMAD : *Hanya tiga kali, Tuan.*
SMITH : *Mengapa awak selalu lambat?*
AHMAD : *Rumah saya jauh, Tuan.*
SMITH : *Di mana awak tinggal?*
AHMAD : *Ulu Klang.*
SMITH : *Awas, kalau awak terlambat lagi, awak akan diberhentikan kerja.*
AHMAD : *Terima kasih, Tuan. Saya tidak akan lambat lagi.*

How Many Times Have You Been ...?

SMITH : You're late again this morning.
AHMAD : Yes, sir, but only by 10 minutes.
SMITH : How many times have you been late this week?
AHMAD : Three times, sir.
SMITH : Why are you always late?
AHMAD : My house is very far (from the office).
SMITH : Where do you live?
AHMAD : Ulu Klang.
SMITH : Be careful; if you're late again, you'll be dismissed.
AHMAD : Thank you, sir. I'll not be late again.

Dengan Apa Saudari Pergi Kerja?

LATIFAH : *Kim, dengan apa Saudari pergi kerja?*
KIM : *Biasanya saya naik bas.*
LATIFAH : *Berapa lamakah perjalanan dari rumah Saudari ke pejabat?*
KIM : *Kira-kira* satu jam.*
LATIFAH : *Kalau Saudari terlambat, bagaimana?*
KIM : *Kalau saya terlambat, saya naik teksi.*
LATIFAH : *Bukankah naik teksi itu mahal?*
KIM : *Mahal memang mahal. Tetapi kalau sudah terlambat, saya terpaksa naik teksi, walaupun mahal.*

How Do You Go To Work?

LATIFAH : Kim, how do you go to work?
KIM : Usually I take a bus.
LATIFAH : How long does it take for you to go from your house to the office?
KIM : About one hour.
LATIFAH : What if you are late?
KIM : If I am late, I'll take a taxi.
LATIFAH : Isn't it expensive to take a taxi?
KIM : It is expensive. But if I am late, I have to take a taxi, even though it is expensive.

**Kira* or *mengira* means 'to count', 'to calculate'; *kira-kira* means 'about'.

17

SHOPPING

Saudara Mahu Beli Apa?

RAZALI : *Saudara ada rancangankah petang ini?*
KAMIL : *Saya tidak ada rancangan apa-apa.*
RAZALI : *Kalau begitu, marilah* kita pergi ke pusat membeli-belah.*
KAMIL : *Saudara mahu beli apa?*
RAZALI : *Saya belum tahu lagi. Mungkin sehelai kemeja.*
KAMIL : *Kita pergi dengan apa?*
RAZALI : *Kita naik teksi saja. Bagaimana?*
KAMIL : *Naik bas lebih murah. Itu pun bas sudah sampai. Marilah kita naik.*

What Do You Want To Buy?

RAZALI : What is your plan for this afternoon?
KAMIL : I have no plans at all.
RAZALI : In that case, let's go to the shopping centre.
KAMIL : What do you want to buy?
RAZALI : I am not sure yet. Perhaps a shirt.
KAMIL : How shall we go there?
RAZALI : We'll just take a taxi. Is that all right?
KAMIL : It's cheaper to take a bus. The bus is coming. Come on, let's take this bus.

**Marilah*, a short form of *mari sini,* means 'come here' or 'let us' in speech/command.

Saya Mahu Membeli Sehelai Kemeja

A : *Selamat petang.*
B : *Selamat petang, Tuan. Tuan mahu membeli apa?*
A : *Saya mahu membeli sehelai kemeja.*
B : *Saiz berapa yang Tuan pakai?*
A : *Tiga puluh lapan.*
B : *Bagaimana dengan kemeja putih ini?*
A : *Berapa harganya?*
B : *Dua puluh dolar.*
A : *Kenapa mahal sekali? Tidak bolehkah kurang sedikit?*
B : *Tidak boleh. Itu harga mati. Tambahan pula, kemeja itu bagus bahannya.*
A : *Baiklah, berikan saya dua helai kemeja putih itu.*

I Want To Buy A Shirt

A : Good afternoon.
B : Good afternoon, sir. What do you want to buy, sir?
A : I want to buy a shirt.
B : What size is your shirt?
A : Thirty-eight.
B : What about this white shirt?
A : How much is it?
B : Twenty dollars.
A : Why is it so expensive? Can't you reduce the price a bit?
B : No, I can't. It is a fixed price. Moreover, it is made of good material.
A : OK, give me two of these white shirts.

Saya Mahu Menukar Kacamata

KAMALIAH : *Selamat pagi. Saya mahu menukar kacamata saya.*
LIM : *Silakan duduk. Cik ada surat doktor?*
KAMALIAH : *Ya, saya ada surat dari doktor. Ini suratnya. Adakah mata saya perlu diperiksa lagi?*
LIM : *Saya kira tidak perlu. Mata Cik sudah diperiksa oleh doktor. Kacamata yang macam mana Cik kehendaki?*
KAMALIAH : *Bolehkah Tauke* pilihkan untuk saya?*
LIM : *Bagaimana dengan kacamata ini? Gagangnya warna emas dan kacanya dari plastik.*
KAMALIAH : *Adakah kacamata ini sesuai untuk saya?*
LIM : *Kacamata ini sesuai buat Cik.*
KAMALIAH : *Baiklah. Bila boleh saya ambil?*
LIM : *Minggu depan.*

I Want To Change My Glasses

KAMALIAH : Good morning. I want to change my glasses.
LIM : Please sit down. Do you have a letter from the doctor?
KAMALIAH : Yes, I've the doctor's letter. Here it is. Do I need to have an eye test?
LIM : I don't think so. Your eyes have already been tested by the doctor. What kind of glasses do you like?
KAMALIAH : Can you choose one for me?
LIM : What about this pair (of glasses)? It has a golden frame and the glasses are made of plastic.
KAMALIAH : Does this pair of glasses suit me?

LIM	:	Yes, it suits you very well.
KAMALIAH	:	All right. When can I have them?
LIM	:	Next week.

**Tauke* is a word of Chinese origin, meaning 'shop owner' or 'businessman'.

Saya Hendak Membeli Peti Televisyen

MAHMUD : *Tahukah Encik Lim di mana saya boleh membeli peti televisyen yang bagus?*
LIM : *Peti televisyen yang bagus boleh dibeli di mana-mana.*
MAHMUD : *Mahal tak, peti televisyen yang bagus?*
LIM : *Tergantung pada jenamanya**. *Jenama yang sudah terkenal tentulah mahal sedikit daripada jenama yang belum terkenal.*
MAHMUD : *Apakah jenama yang terkenal itu lebih baik?*
LIM : *Ini belum tentu. Ada kalanya jenama yang belum dikenal orang juga baik.*
MAHMUD : *Bagaimana dengan peti televisyen Encik Lim itu, bagus tak?*
LIM : *Televisyen saya itu cukup bagus tapi bukan dari jenama yang terkenal.*
MAHMUD : *Mahalkah harganya?*
LIM : *Harganya boleh tahan, tidak mahal dan tidak murah.*

I Want To Buy A Television Set

MAHMUD : Do you know where can I get a good television set, Mr. Lim?
LIM : You can get a good television set anywhere.
MAHMUD : Is a good television set expensive?
LIM : It all depends on the brand. A well-known brand is slightly more expensive than an unknown one.
MAHMUD : Is a well-known brand better (than an unknown one)?
LIM : Not necessarily. Sometimes an unknown brand is also good.

MAHMUD : How is your television set? Is it good?
LIM : My television set is quite good, but it is an unknown brand.
MAHMUD : Is it expensive?
LIM : Quite all right; not expensive and not cheap either.

Jenis + nama = jenama is a new word coined to mean 'brand' or 'trademark'.

Saya Mahu Membeli Sepasang Kasut Kulit*

A : *Boleh saya tolong, Tuan.*
B : *Saya mahu membeli sepasang kasut kulit.*
A : *Warna apa yang Tuan suka?*
B : *Hitam.*
A : *Saiz berapa kasut yang Tuan pakai?*
B : *Kalau saya tidak silap, saiz 7 (tujuh).*
A : *Cubalah kasut ini. Mungkin ia sesuai.*
B : *Rasanya kasut ini sesuai juga, tidak sempit dan tidak longgar. Baiklah, saya beli kasut ini.*

I Want To Buy A Pair Of Leather Shoes

A : May I help you, sir?
B : I want to buy a pair of leather shoes.
A : What colour do you like?
B : Black.
A : What size (of shoes) do you wear?
B : If I'm not mistaken, 7.
A : Please try this pair. Perhaps it fits you.
B : This pair (of shoes) suits me all right. It's not too tight and not too loose. All right, I'll buy this pair.

**Pasang*, 'pair' is a numeral coefficient used to mention shoes or stockings. Other common numeral coefficients are *orang,* 'person' for human being; *ekor,* 'tail' for animal; and *buah,* 'fruit' for fruits and house.

Berapakah Harga ...?

A : *Berapakah harga kasut kulit itu?*
B : *Lima puluh dolar, Tuan.*
A : *Terlalu mahal, Encik.*
B : *Ini sudah murah, Tuan.*
A : *Tidak boleh kurangkah?*
B : *Kurang lima dolar. Empat puluh lima dolar.*
A : *Empat puluh, boleh?*
B : *Baiklah, Tuan, empat puluh dolar.*

How Much ...?

A : What's the price of this pair of leather shoes?
B : Fifty dollars, sir.
A : Too expensive.
B : It's considered cheap, sir.
A : Can't you reduce the price?
B : Less five dollars. Forty-five dollars.
A : Forty dollars, OK?
B : OK, sir, forty dollars.

Berapa Harga Kemeja Batik Ini?

JURUJUAL : *Tuan cari apa?*
DAVID : *Lihat-lihat saja dulu, Encik.*
JURUJUAL : *Silakan.*
DAVID : *Ada kemeja batik?*
JURUJUAL : *Ada, Tuan.*
DAVID : *Cuba saya lihat dulu, Encik. Berapa harga kemeja batik ini?*
JURUJUAL : *Dua puluh ringgit, Tuan. Bahan buatannya bagus.*
DAVID : *Boleh kurang sedikit, Encik?*
JURUJUAL : *Baiklah, untuk Tuan, lima belas ringgit.*
DAVID : *Baiklah. Saya ambil yang biru itu.*

How Much Is This Batik Shirt

SALESMAN : What are you looking for, sir?
DAVID : Just looking around.
SALESMAN : Please do.
DAVID : Do you have batik shirts?
SALESMAN : Yes, we have, sir.
DAVID : Please let me see them. How much is this batik shirt?
SALESMAN : Twenty ringgits, sir. It's of good material.
DAVID : Can you reduce the price a bit?
SALESMAN : All right, for you, I sell it for fifteen ringgits.
DAVID : OK. I take the blue one.

Bolehkah Saya Tawar?

ALI	:	*Saya hendak membeli kain. Adakah Encik menjual kain sarung yang baik?*
PENJUAL	:	*Ada Tuan. Bermacam-macam.*
ALI	:	*Bolehkah saya lihat kain yang di sudut itu?*
PENJUAL	:	*Boleh, Tuan.*
ALI	:	*Berapa harganya satu meter?*
PENJUAL	:	*Dua puluh ringgit.*
ALI	:	*Bolehkah saya tawar?*
PENJUAL	:	*Tidak boleh. Ini harga tetap.*
ALI	:	*Baiklah. Beri saya empat meter.*
PENJUAL	:	*Sila bayar dan ambil kain Tuan di kaunter.*

Can I Bargain?

ALI	:	I want to buy a piece of cloth. Do you sell good sarong materials?
SALESMAN	:	Yes, we do. Various kinds.
ALI	:	Can I see the piece of cloth at the corner?
SALESMAN	:	Yes, sir.
ALI	:	How much is it per metre?
SALESMAN	:	Twenty ringgits.
ALI	:	Can I bargain?
SALESMAN	:	No, you can't. It is the fixed price.
ALI	:	All right. Please give me four metres.
SALESMAN	:	Please take your cloth at the counter and pay there.

Adakah Encik Jual ...?

A : *Adakah Encik jual tali leher?*
B : *Tali leher macam mana yang Encik hendak?*
A : *Tali leher sutera yang tidak terlalu mahal.*
B : *Bagaimana dengan tali leher ini?*
A : *Berapa harganya?*
B : *Tiga puluh ringgit.*
A : *Baiklah, saya ambil satu tali leher ini. Encik ada jual sapu tangan atau sarung kaki?*
B : *Ada, marilah ikut saya.*

Do You Sell ...?

A : Do you sell neckties here?
B : What kind of neckties do you want?
A : Silk neckties that are not too expansive.
B : What about this tie?
A : How much is it?
B : Thirty ringgits.
A : All right. I'll take one of these neckties. Do you sell handkerchiefs or socks?
B : Yes, we do, please follow me.

18

AMONG FRIENDS

Adakah Saudara Sedang Sibuk?

ROSLAN : *Apa khabar Saudari?*
IRENE : *Khabar baik. Terima kasih. Dan Saudara bagaimana pula?*
ROSLAN : *Saya juga baik, terima kasih.*
IRENE : *Adakah Saudara sedang sibuk?*
ROSLAN : *Tidak, saya tidak sibuk. Kenapa?*
IRENE : *Saya ingin mengajak Saudara pergi berjalan-jalan**.
ROSLAN : *Baiklah. Tunggu sebentar saya hendak tukar pakaian.*

Are You Busy?

ROSLAN : How are you?
IRENE : Fine. Thank you. And how about you?
ROSLAN : I'm fine, too. Thank you.
IRENE : Are you busy?
ROSLAN : No, I am not. What's the matter?
IRENE : I like to go for a walk with you.
ROSLAN : OK. Please wait for a while, I want to get dressed.

**Jalan* means 'road' or 'street'; *berjalan* means 'to walk'; *berjalan-jalan* means 'to take a stroll'.

Saya Ingin Menjemput Saudara

A : *Saya ingin menjemput Saudara ke majlis hari jadi* saya.*
B : *Bila?*
A : *Malam minggu.*
B : *Terima kasih atas jemputan Saudara. Tetapi maaf, saya tidak dapat datang.*
A : *Mengapa tidak dapat datang?*
B : *Saya ada urusan lain.*
A : *Datanglah, kalau urusan Saudara sudah selesai.*
B : *Saya akan cuba.*

I Wish To Invite You

A : I wish to invite you to my birthday party.
B : When is it?
A : On Saturday evening.
B : Thank you for your invitation. But I am sorry; I can't come.
A : Why can't you come?
B : I have something going on that evening.
A : Then please come when you've finished with your business.
B : I'll try.

*Birthday' is also known as *Hari Lahir* or *Hari Ulang Tahun*.

Selamat Hari Jadi

DOROTHY : *Selamat hari jadi, Rukiah.*
RUKIAH : *Terima kasih.*
DOROTHY : *Berapa umur Anda sekarang?*
RUKIAH : *17 tahun (tujuh belas). Dan umur Anda?*
DOROTHY : *Umur saya enam belas tahun.*
RUKIAH : *Kalau begitu, Anda satu tahun lebih muda daripada saya.*
DOROTHY : *Betul, Anda satu tahun lebih tua daripada saya.*

Happy Birthday

DOROTHY : Happy birthday, Rukiah.
RUKIAH : Thank you.
DOROTHY : How old are you?
RUKIAH : Seventeen. And how about you?
DOROTHY : I am sixteen years old.
RUKIAH : You are one year younger than me.
DOROTHY : Yes, you are one year older than me.

Bagaimana Majlis Perkahwinan Itu?

A : *Bagaimana majlis perkahwinan itu?*
B : *Majlis perkahwinan itu meriah sekali.*
A : *Bagaimana teman Saudara itu?*
B : *Dia kelihatan amat gembira.*
A : *Bagaimana isteri teman Saudara itu?*
B : *Oh, dia sungguh cantik.*
A : *Adakah mereka pergi berbulan madu?*
B : *Sudah tentu. Selesai saja majlis perkahwinan, mereka terus terbang ke Hawaii untuk berbulan madu.*
A : *Berbahagia sungguh orang yang mendirikan* * *rumahtangga.*

How Was The Wedding?

A : How was the wedding ceremony?
B : The wedding ceremony was very grand.
A : How was your friend?
B : He looked very happy.
A : How was your friend's wife?
B : Oh, she was beautiful.
A : Are they going for their honeymoon?
B : Of course. Immediately after the ceremony, they flew to Hawaii for their honeymoon.
A : How lucky are those who get married.

* *Diri* or *sendiri* means 'one's self'. *Berdiri* is 'to stand' and *mendirikan rumahtangga* means literally 'to establish a family'.

Mengapa Saudara Tidak Datang?

A : *Mengapa Saudara tidak datang ke majlis kelmarin?*
B : *Maaf, sebab kelmarin saya terpaksa pergi ke balai polis.*
A : *Untuk apa?*
B : *Untuk membuat laporan.*
A : *Apa yang sudah terjadi*[*]*?*
B : *Kereta saya dicuri orang di rumah.*
A : *Apakah Saudara tidak memandunya ke pejabat?*
B : *Tidak, saya fikir naik bas lebih murah.*

Why Didn't You Come?

A : Why didn't you come to the party yesterday?
B : Because I had to go to the police station.
A : What for?
B : To make a report.
A : What happened?
B : My car was stolen from (my) house.
A : Didn't you drive it to the office?
B : No, I thought it was cheaper to take a bus.

[*]*Jadi* also means 'happen'. *Kejadian* is 'event' or 'incident', and *terjadi* is a synonym of *berlaku*.

Saya Ucapkan Tahniah ...

MICHAEL : *Saya dengar khabar Saudara dapat biasiswa untuk belajar di Malaysia. Betulkah?*
SAMY : *Betul. Mengapa?*
MICHAEL : *Saudara sungguh beruntung. Saudara akan belajar apa di sana?*
SAMY : *Apa lagi, bahasa dan sastera Melayulah.*
MICHAEL : *Berapa lamakah Saudara akan berada di Malaysia?*
SAMY : *Satu tahun. Saya akan ikuti kursus bahasa Melayu untuk orang asing di Kuala Lumpur.*
MICHAEL : *Berapa nilai biasiswa itu?*
SAMY : *Saya tidak pasti. Mudah-mudahan cukup.*
MICHAEL : *Saya ucapkan tahniah atas kejayaan Saudara.*

I Congratulate You ...

MICHAEL : I heard that you got a scholarship to Malaysia. Is it true?
SAMY : Yes. Why?
MICHAEL : You are very lucky. What are you going to study?
SAMY : What else besides Malay language and literature.
MICHAEL : How long would you be in Malaysia?
SAMY : One year. I'll be taking a course on Malay language for foreigners in Kuala Lumpur.
MICHAEL : How much is the scholarship worth?
SAMY : I am not sure. I hope it is enough.
MICHAEL : I congratulate you on your success.

Awak Ada Di Rumahkah ...?

SITI : *Helo?*
ZAHARAH : *Helo Siti, awak ada di rumahkah petang esok?*
SITI : *Saya ada di rumah kira-kira pukul 6.30 (enam setengah) petang. Ada hal apa?*
ZAHARAH : *Saya ingin menjemput awak ke rumah Shova. Dia merayakan* hari jadinya esok.*
SITI : *Pukul berapakah majlis dimulakan?*
ZAHARAH : *Pukul 7.00 (tujuh) malam.*
SITI : *Saya akan bersiap sebelum pukul tujuh.*
ZAHARAH : *Baiklah. Sampai jumpa esok.*

Will You Be At Home ...?

SITI : Hello?
ZAHARAH : Hello Siti, will you be at home tomorrow evening?
SITI : I'll be at home at about 6.30 p.m. What's the matter?
ZAHARAH : I want to invite you to Shova's house. She's celebrating her birthday tomorrow.
SITI : When will the celebration begin?
ZAHARAH : 7.00 p.m.
SITI : I'll get ready before 7.00 p.m.
ZAHARAH : All right. See you tomorrow.

**Raya* means 'great'. *Hari raya* is 'big day' and *jalan raya* is 'main road', but *merayakan* is 'to celebrate'.

Inilah Keadaan Rumah Saya

A : *Inilah keadaan rumah saya.*
B : *Bagus juga. Saudara tinggal dengan siapa di sini?*
A : *Dengan kakak dan adik.*
B : *Di mana orang tua Saudara?*
A : *Orang tua saya tinggal di Sarawak. Saudara masih tinggal di Bangi?*
B : *Tidak. Sekarang saya tinggal di Kuala Lumpur.*
A : *Perkenalkan, ini adik saya, Saemah. Silakan minum.*
B : *Terima kasih.*

This Is The Condition Of My House

A : This is the condition of my house.
B : It's nice. Whom are you living with here?
A : With my sisters.
B : Where are your parents?
A : My parents live in Sarawak. Are you still staying in Bangi?
B : No. Now I live in Kuala Lumpur.
A : Well, let me introduce you ... this is my younger sister, Saemah. Please have your drink.
B : Thank you.

Saudari Mahu Minum Apa?

AMNAH : *Selamat petang, Saudari Faridah.*
FARIDAH : *Selamat petang. Oh, Saudari Amnah. Silakan masuk.*
AMNAH : *Terima kasih.*
FARIDAH : *Saudari mahu minum apa? Teh atau kopi?*
AMNAH : *Kopi saja.*
FARIDAH : *Mahu dibubuh gula dan susu?*
AMNAH : *Bubuh gula saja, tanpa susu. Terima kasih.*

What Would You Like To Drink?

AMNAH : Good afternoon, Miss Faridah.
FARIDAH : Good afternoon, Miss Amnah. Please come in.
AMNAH : Thank you.
FARIDAH : What would you like to drink? Tea or coffee?
AMNAH : Coffee will be fine.
FARIDAH : Do you take sugar and milk?
AMNAH : Only sugar, no milk. Thank you.

Saya Minta Diri Dulu

A : *Maaf, saya minta diri dulu. Saya terpaksa pulang cepat.*
B : *Tapi Saudari baru saja datang. Tidak bolehkah Saudari duduk lebih lama sedikit?*
A : *Rasanya mahu juga, tetapi saya mesti ada di rumah tengah hari ini. Teman saya sedang menunggu.*
B : *Oh, sayang sekali.*
A : *Terima kasih kerana keramahan Saudari.*
B : *Terima kasih atas kedatangan Saudari.*

May I Have Your Permission To Leave?

A : Excuse me. May I have your permission to leave? I really must be going now.
B : But you just came. Can't you stay a little longer?
A : I wish I could, but I have to be home by noon. My friend is waiting for me.
B : Oh, what a pity.
A : Thank you very much for your hospitality.
B : Thank you for visiting.

Awak Terlambat Lagi

A : *Awak terlambat lagi kali ini. Apa yang berlaku**?
B : *Saya naik bas ke sini. Tiba-tiba bas itu rosak di tengah jalan.*
A : *Mengapa tidak naik teksi?*
B : *Saya hendak naik teksi, tetapi semuanya penuh.*
A : *Kemudian apa yang awak lakukan?*
B : *Akhirnya sebuah teksi yang ada penumpang berhenti dan membawa saya ke sini.*
A : *Untung penumpangnya tidak keberatan.*
B : *Kalau tidak, saya mungkin tidak dapat datang.*

You Are Late Again

A : You are late again. What happened?
B : I took a bus. But it suddenly broke down.
A : Why didn't you take a taxi?
B : I looked for a taxi but all the taxis were full.
A : What did you do then?
B : At last, a taxi with a passenger in it stopped and brought me here.
A : Fortunately, the passenger did not object.
B : Or else I'll not be able to come at all.

**Laku* means 'saleable' or 'valid'. *Berlaku* is 'to happen' or 'valid', *lakukan* is 'to act' or 'to perform', and *kelakuan* is 'behaviour'.

Bilakah Kita Boleh Berjumpa?

Loh : *Saya Loh dari Sabah.*
Samad : *Helo, Encik Loh. Bila Encik sampai?*
Loh : *Baru pagi tadi. Saya ingin bertemu dengan Saudara. Bilakah kita boleh berjumpa?*
Samad : *Bila-bila saja, Encik. Petang ini, Encik ada masakah?*
Loh : *Oh, petang ini saya tidak ada kegiatan.*
Samad : *Baiklah. Petang ini kita akan bertemu.*
Loh : *Sampai petang nanti, Saudara.*
Samad : *Terima Kasih.*
Loh : *Kembali.*

When Can We Meet?

Loh : I am Loh, from Sabah.
Samad : Hello, Mr. Loh. When did you arrive?
Loh : I just arrived this morning. I want to see you. When can we meet?
Samad : Any time. Are you free this evening?
Loh : Oh, I have nothing on this evening.
Samad : OK. We'll meet this evening.
Loh : Till this evening then.
Samad : Thank you.
Loh : Same to you.

Teman Kita Sudah Meninggal

DAUD : *Selamat malam, Saudara.*
JAMAL : *Selamat malam. Adakah Saudara sudah tahu?*
DAUD : *Tentang apa?*
JAMAL : *Encik Ramli, kenalan kita, sudah meninggal.*
DAUD : *Bila?*
JAMAL : *Petang tadi.*
DAUD : *Apa yang terjadi?*
JAMAL : *Beliau terlibat dalam satu kemalangan jalanraya.*
DAUD : *Kasihan keluarganya.*
JAMAL : *Marilah kita melawat dan memberi ucapan takziah kepada keluarganya.*

Our Acquaintance Has Passed Away

DAUD : Good evening, sir.
JAMAL : Good evening. Have you heard?
DAUD : About what?
JAMAL : Mr. Ramli, our acquaintance, has passed away.
DAUD : When did that happen?
JAMAL : Just this evening.
DAUD : What happened?
JAMAL : He was involved in a traffic accident.
DAUD : I pity his family.
JAMAL : Come, let's pay our last respect to the deceased and express our condolence to his family.

19

ONE'S EXPERIENCE

Pernahkah Saudara Tinggal Di Kuala Lumpur?

A : *Pernahkah Saudara tinggal di Kuala Lumpur?*
B : *Pernah, setahun yang lalu**.
A : *Di Kuala Lumpur, Saudara tinggal di mana?*
B : *Saya tinggal di Hotel Federal.*
A : *Hotel Federal itu di mana?*
B : *Di Jalan Bukit Bintang.*
A : *Bagaimana sewa biliknya?*
B : *Boleh tahan, tidak terlalu mahal dan tidak terlalu murah.*

Have You Ever Lived In Kuala Lumpur

A : Have you ever lived in Kuala Lumpur before?
B : Yes, a year ago.
A : Where did you stay in Kuala Lumpur?
B : I stayed at the Federal Hotel.
A : Where is the Federal Hotel?
B : At Jalan Bukit Bintang.
A : How is the room rate?
B : Quite all right, neither too expensive nor too cheap.

**Lalu* means 'to pass', *selalu* is 'always' and *terlalu* is 'very extremely'. *Terlampau*, *sangat* and *amat* are also used to convey the meaning of 'very' and 'extremely' in Malay.

Berapa Lamakah Saudara Tinggal Di Kuala Lumpur?

A : *Berapa lamakah Saudara tinggal di Kuala Lumpur?*
B : *Satu tahun.*
A : *Apa yang Saudara buat di Kuala Lumpur?*
B : *Saya belajar.*
A : *Saudara belajar apa di Kuala Lumpur?*
B : *Saya belajar bahasa Melayu di Universiti Malaya.*
A : *Adakah kursus bahasa Melayu untuk orang asing?*
B : *Ada. Banyak pelajar asing yang mengikuti kursus bahasa Melayu di Universiti Malaya.*

How Long Did You Stay In Kuala Lumpur?

A : How long did you stay in Kuala Lumpur?
B : One year.
A : What were you doing in Kuala Lumpur?
B : I was studying.
A : What did you study at Kuala Lumpur?
B : I studied Malay language at the University of Malaya.
A : Is there a Malay language course for foreigners?
B : Yes. Many foreign students attended a Malay language course at the University of Malaya.

Bilakah Saudara Tinggal Di Kuala Lumpur?

A : *Bilakah Saudara tinggal di Kuala Lumpur?*
B : *Dari tahun 1960 (seribu sembilan ratus enam puluh) sampai 1965 (seribu sembilan ratus enam puluh lima).*
A : *Di bahagian mana ibu kota itu Saudara tinggal?*
B : *Saya tinggal di Kampung Baru.*
A : *Apa pekerjaan Saudara?*
B : *Saya tidak bekerja. Saya belajar.*
A : *Apa yang Saudara pelajari?*
B : *Saya belajar bahasa, sastera dan kebudayaan Melayu di Universiti Malaya.*

When Did You Live In Kuala Lumpur?

A : When did you live in Kuala Lumpur?
B : From 1960 to 1965.
A : In which part of the capital city did you live?
B : I lived in Kampung Baru.
A : What was your occupation?
B : I was not working. I was studying.
A : What did you study?
B : I studied Malay language, literature and culture at the University of Malaya.

Bolehkah Awak Carikan Saya Tukang ...?

JONATHAN : *Encik Roslan, alat penyaman udara di rumah saya rosak. Bolehkah awak carikan saya seorang tukang membaikinya?*
ROSLAN : *Boleh Tuan. Alat penyaman udara yang manakah yang rosak itu, Tuan?*
JONATHAN : *Alat penyaman udara di bilik tidur saya.*
ROSLAN : *Sudah berapa lamakah Tuan pasang alat penyaman udara itu?*
JONATHAN : *Baru saja setahun.*
ROSLAN : *Kalau begitu masih dalam tanggungan kad jaminan. Tuan ada kad jaminan?*
JONATHAN : *Ya, saya ada kad jaminan.*
ROSLAN : *Kalau begitu, mudah sekali. Saya akan panggil tukang membaikinya dengan segera.*

Can You Find Me a Repairman ...?

JONATHAN : Mr. Roslan, the air-conditioner in my house has broken down. Can you find me a repairman?
ROSLAN : Certainly. Which air-conditioner, sir?
JONATHAN : The one in my bedroom.
ROSLAN : How long have you installed the air-conditoner?
JONATHAN : Just one year.
ROSLAN : It must still be under guarantee. Do you have a guarantee card?
JONATHAN : Yes, I have a guarantee card.
ROSLAN : In that case, it's simple. I'll call the repairman immediately.

Kereta Saya Rosak

ELINA : *Selamat petang, Encik.*
RASHID : *Selamat petang, Puan.*
ELINA : *Kereta saya rosak. Boleh Encik tolong?*
RASHID : *Minyaknya masih adakah?*
ELINA : *Minyaknya masih banyak.*
RASHID : *Boleh saya lihat enjinnya?*
ELINA : *Silakan. Nanti saya bukakan bonetnya.*
RASHID : *Oh, palamnya sudah rosak, Puan. Mari saya ganti palamnya.*
ELINA : *Terima kasih, Encik.*

My Car Has Broken Down

ELINA : Good evening, sir.
RASHID : Good evening, Madam.
ELINA : My car has broken down. Can you help me?
RASHID : (Do you) still have petrol?
ELINA : There's still a lot of petrol.
RASHID : May I see the engine?
ELINA : Please do. I'll open the bonnet.
RASHID : The start plug is out of order. Let me change it for you.
ELINA : Thank you very much, sir.

Zainal Mendapat Kemalangan

RAJOO : *Awak sudah dengar atau belum, Winston?*
WINSTON : *Tentang* apa, ya?*
RAJOO : *Zainal mendapat kemalangan jalan raya.*
WINSTON : *Di mana kemalangan itu berlaku?*
RAJOO : *Saya dengar, kemalangan itu berlaku di Jalan Cheras.*
WINSTON : *Bagaimana kemalangan itu boleh terjadi?*
RAJOO : *Keretanya dilanggar dari belakang oleh sebuah bas kota.*
WINSTON : *Bagaimana dia sekarang?*
RAJOO : *Sekarang dia berada di rumah sakit.*

Zainal Had A Traffic Accident

RAJOO : Have you heard or not, Winston?
WINSTON : About what?
RAJOO : Zainal had a traffic accident.
WINSTON : Where did the accident happen?
RAJOO : I heard that the accident occurred at Jalan Cheras.
WINSTON : How did the accident occur?
RAJOO : His car was hit from the back by a city bus.
WINSTON : How is he now?
RAJOO : He's now in the hospital.

**Tentang* means 'regarding' or 'concerning'. *Mengenai* is often used as its synonym.

Saya Mahu Melaporkan Kehilangan Kereta Saya

SINGH : *Selamat pagi, Encik.*
POLIS : *Selamat pagi. Apakah yang boleh kami tolong*[*]*?*
SINGH : *Saya mahu melaporkan kehilangan kereta saya tadi malam.*
POLIS : *Kehilangan kereta? Baiklah, siapa nama Tuan?*
SINGH : *Nama saya Joginder Singh.*
POLIS : *Apa alamat Tuan?*
SINGH : *Saya tinggal di 138, Jalan Limau Purut, Pasar Minggu.*
POLIS : *Boleh saya tahu nombor telefon Tuan?*
SINGH : *Boleh, Encik. Nombornya 4455778 (empat-empat-lima-lima-tujuh-tujuh-lapan).*

I Wish To Report The Theft Of My Car

SINGH : Good morning, sir.
POLICE : Good morning. What can we do for you?
SINGH : I wish to report the theft of my car last night.
POLICE : Car stolen? All right. What's your name?
SINGH : My name is Joginder Singh.
POLICE : What's your address?
SINGH : I live at 138, Jalan Limau Purut, Pasar Minggu.
POLICE : May I know your telephone number?
SINGH : Yes, sir. My telephone number is 4455778.

[*]*Tolong* means 'help'. Here, it is used as a synonym of *bantu*. But *tolong* is also used in the sense of 'please' in speech.

Bolehkah Tuan Memberikan Butir-Butir Kereta Tuan?*

POLIS : *BolehkahTuanmemberikanbutir-butirkeretaTuan?*
SUMIO : *Kereta saya jenis Suzuki 1970 (seribu sembilan ratus tujuh puluh), 1300 (seribu tiga ratus) cc. Warnanya biru tua, dengan tayar baru jenis Good Year.*
POLIS : *Tuan sedar tentang kehilangannya pukul berapa?*
SUMIO : *Pagi tadi, pembantu saya yang memberitahu saya.*
POLIS : *Adakah malam semalam kereta itu masih di rumah Tuan?*
SUMIO : *Masih ada Encik. Sampai pukul 11.00 (sebelas) malam masih ada.*
POLIS : *Baiklah, Tuan Sumio. Kami akan segera mencari kereta tuan. Kalau ada perkembangan terbaru, nanti kami akan hubungi Tuan.*
SUMIO : *Terima kasih, Encik.*

Can You Give The Details Of Your Car?

POLICE : Can you give us the details of your car?
SUMIO : My car is a 1970 Suzuki, 1300 cc. It's dark blue in colour, with new Good Year tyres.
POLICE : When did you come to know of the theft of your car?
SUMIO : This morning. The maid told me.
POLICE : Was the car still there last night?
SUMIO : Yes, sir. It was there at 11.00 p.m.
POLICE : All right, Mr. Sumio. We'll look for your car immediately. If there is any development, we'll contact you.

SUMIO : Thank you, sir.

Butir means 'grain' or 'small items'. *Butir-butir* or *butir keterangan* means 'details'.

Beg Duit Saya Dicuri Orang

MONA : *Selamat petang, Encik.*
POLIS : *Selamat petang. Tenanglah, Puan. Apa yang dapat kami tolong?*
MONA : *Ya, Encik. Tadi beg duit saya dicuri orang.*
POLIS : *Bilakah peristiwa itu berlaku?*
MONA : *Pagi tadi saya naik bas, dari Puduraya ke Wisma Kraftangan.*
POLIS : *Lalu?*
MONA : *Bas itu penuh, sehingga saya tidak boleh duduk. Saya berdiri terus. Tiba-tiba saya rasa beg tangan saya dibuka orang dan beg duit saya hilang.*
POLIS : *Berapa banyakkah wang dalam beg duit itu?*
MONA : *Lima ratus ringgit.*
POLIS : *Bersabarlah, Puan. Kami akan cuba mencari pencuri itu.*
MONA : *Terima kasih, Encik.*

My Purse Was Stolen

MONA : Good afternoon, sir.
POLICE : Good afternoon. Be calm, Madam. How can we help you?
MONA : Yes, sir. My purse was stolen.
POLICE : When did this happen?
MONA : This morning, I took a city bus from Puduraya to the Handicraft Centre.
POLICE : And then?
MONA : The bus was full, so I couldn't sit down. I stood all the way. Suddenly, I felt my bag was opened and saw my purse gone.

POLICE : How much money was it in the purse?
MONA : Five hundred ringgits.
POLICE : Be calm, Madam. We'll try to find the pickpocket.
MONA : Thank you, sir.

Pukul Berapa Rompakan Itu Berlaku?

POLIS : *Pukul berapa rompakan itu berlaku?*
SAMY : *Rompakan itu berlaku kira-kira pukul 12.30 (dua belas setengah) malam.*
POLIS : *Dari manakah perompak-perompak itu masuk?*
SAMY : *Mereka masuk di sini, Encik. Kaca pintu dan tingkap dipecahkannya.*
POLIS : *Barang-barang apakah yang hilang?*
SAMY : *Almari kami dibongkarnya. Barang kemas isteri saya habis**.
POLIS : *Ada wang tunai yang hilang?*
SAMY : *Tidak ada, Encik. Kami tidak menyimpan wang di rumah.*
POLIS : *Baiklah. Kami akan memburu perompak itu secepat mungkin.*
SAMY : *Terima kasih, Encik.*

When Did The Burglary Happen?

POLICE : When did the burglary happen?
SAMY : The burglary took place at about 12.30 a.m.
POLICE : Where did the burglars enter the house?
SAMY : They entered from here, sir. The glass door and windows were broken.
POLICE : What are the articles that were stolen?
SAMY : Our cupboard was ransacked. My wife's ornaments are all gone.
POLICE : Any cash stolen?
SAMY : No, sir. We do not keep money at home.
POLICE : All right. We'll hunt for the burglars as soon as possible.

SAMY : Thank you, sir.

Habis means 'finished', but it is used here in the sense of 'completely gone'.

Apakah Yang Menarik Di Singapura?

MICHAEL : *Cuti tahun ini, awak hendak ke mana?*
BILL : *Mungkin kami* ke Singapura. Pernahkah awak ke Singapura?*
MICHAEL : *Saya sudah dua kali ke Singapura.*
BILL : *Apakah yang menarik di Singapura?*
MICHAEL : *Singapura merupakan tempat membeli-belah yang baik. Banyak sekali pusat membeli-belah di Singapura.*
BILL : *Apakah di Singapura ada juga tempat pelancongan yang menarik?*
MICHAEL : *Ada juga, misalnya Taman Burung Jurong, Haw Par Villa dan lain-lain.*
BILL : *Saya mesti ke Singapura cuti tahun ini.*

What's Interesting In Singapore?

MICHAEL : For this year's vacation, where do you intend to go?
BILL : We may go to Singapore. Have you been to Singapore?
MICHAEL : I've already been to Singapore twice.
BILL : What's interesting in Singapore?
MICHAEL : Singapore is a good place to shop. There are many shopping centres in Singapore.
BILL : Are there any tourist attractions in Singapore?
MICHAEL : Yes, there are. For example, Jurong Bird Park and Haw Par Villa.
BILL : I must go to Singapore for my vacation.

**Kami* means 'we' but excludes the listener, while *kita* (we) includes the listener.

Apakah Bahasa Baku?

PEMBERITA : *Nama saya Abdullah, pemberita* Suara Rakyat. *Saya ingin berwawancara dengan Cikgu.*
CIKGU : *Tentang apa?*
PEMBERITA : *Bahasa baku. Apakah bahasa baku?*
CIKGU : *Bahasa baku ialah bahasa yang baik dan benar.*
PEMBERITA : *Sudahkah bahasa Melayu baku?*
CIKGU : *Bahasa Melayu sudah baku dalam tatabahasa dan peristilahannya. Yang belum baku ialah sebutannya.*
PEMBERITA : *Jadi, sebutanlah yang sedang dibakukan sekarang.*
CIKGU : *Kira-kira begitulah.*

What Is Standard Language?

JOURNALIST : My name is Abdullah. I am from the *People's Voice*. I would like to have an interview with you.
TEACHER : On what topic?
JOURNALIST : On standard language. What is standard language?
TEACHER : Standard language means 'good and correct language'.
JOURNALIST : Has Malay language been standardized?
TEACHER : Malay language has been standardized in its grammar and terms. But its pronunciation is still to be standardized.
JOURNALIST : So, the pronunciation is being standardized now.
TEACHER : Yes, that is the case.

20

TOURIST ATTRACTIONS IN MALAYSIA, ETC.

Tempat-Tempat Manakah Yang Sudah Saudara Kunjungi?

A : *Sudah lamakah Saudara tinggal di Malaysia?*
B : *Baharu sahaja dua bulan.*
A : *Tempat-tempat manakah yang sudah Saudara kunjungi?*
B : *Cuma Bukit Fraser saja.*
A : *Apa pendapat Saudara tentang Bukit Fraser?*
B : *Saya suka tempat peranginan itu. Hawanya sejuk dan tamannya indah.*
A : *Tidak inginkah Saudara melihat Kota Melaka?*
B : *Ingin juga. Melaka sebuah kota sejarah. Saya mesti mengunjunginya.*

What Places Have You Visited So Far?

A : Have you been living in Malaysia long?
B : Just two months.
A : What places have you visited so far?
B : Just Fraser Hill.
A : What do you think of Fraser Hill?
B : Oh, I like the holiday resort very much. The weather is cool and the garden is beautiful.
A : Don't you intend to visit Malacca?
B : Of course. Malacca is a historical city. I must visit it.

Apakah Yang Boleh Anda Lihat Di Kuala Lumpur?

A : *Apakah yang boleh Anda lihat di Kuala Lumpur?*
B : *Banyak sekali. Di Kuala Lumpur banyak sekali tempat-tempat yang menarik.*
A : *Apakah yang paling menarik buat Saudara?*
B : *Muzium Negara.*
A : *Apakah yang boleh Anda lihat di Muzium Negara?*
B : *Warisan kebudayaan Malaysia, misalnya aneka bentuk rumah Melayu, seni dan matawang.*
A : *Cuma itu saja?*
B : *Tidak, masih banyak lagi yang boleh dilihat di Muzium, misalnya pameran tentang sejarah Malaysia serta kegiatan ekonominya.*

What Can You See In Kuala Lumpur?

A : What can you see in Kuala Lumpur?
B : Many things. There are so many interesting places in Kuala Lumpur.
A : What are the interesting places for you?
B : The National Museum.
A : What can you see at the National Museum?
B : Malaysian cultural heritage, such as various types of Malay houses, arts and currency.
A : Only these things?
B : No, there is much more to be seen in the museum; for example, exhibits on Malaysian history and its economic activities.

Tahukah Saudara Di Mana ...?

A : *Tahukah Saudara di mana letaknya bangunan Perpustakaan Negara yang baru?*
B : *Tahu. Di Jalan Raja Laut.*
A : *Sudikah Saudara menemani saya ke sana?*
B : *Apa yang ada di Perpustakaan Negara?*
A : *Ada pameran naskhah Melayu kuno.*
B : *Ada apa lagi?*
A : *Ada sesi bercerita oleh Tok Dalang?*
B : *Nampaknya menarik juga. Marilah kita pergi sekarang.*

Do You Know Where ...?

A : Do you know where the new building of the National Library is?
B : Yes, it's at Jalan Raja Laut.
A : Would you like to accompany me there?
B : Is there anything on at the National Library?
A : There's an exhibition on ancient Malay manuscripts.
B : Anything else?
A : There is a story-telling session by a master puppeteer.
B : That sounds interesting. Let's go now.

Apakah Yang Boleh Dilihat Di ...?

ALLAN : *Encik Jamil, apakah yang boleh dilihat di Melaka?*
JAMIL : *Banyak yang boleh dan patut dilihat di Melaka sekiranya Anda meminati sejarah.*
ALLAN : *Misalnya?*
JAMIL : *Gereja St. Paul yang dibina oleh orang Portugis pada tahun 1521 (seribu lima ratus dua puluh satu).*
ALLAN : *Apa lagi?*
JAMIL : *Stadthuys yang didirikan oleh orang Belanda pada tahun 1641 (seribu enam ratus empat puluh satu).*
ALLAN : *Stadthuys itu apa, Encik?*
JAMIL : *Stadthuys itu Dewan Bandaran dalam bahasa Belanda. Dari Stadthuys inilah orang Belanda memerintah Melaka pada abad ke-17 (tujuh belas).*
ALLAN : *Terima kasih atas keterangan Encik.*

Is There Anything To See In ...?

ALLAN : Mr. Jamil, is there anything to see in Malacca?
JAMIL : There are many things worth seeing in Malacca, if you have interest in history.
ALLAN : For example?
JAMIL : St. Paul's Church built by the Portuguese in 1521.
ALLAN : What else?
JAMIL : The Stadthuys built by the Dutch in 1641.
ALLAN : What's the Stadthuys, sir?
JAMIL : Stadthuys means town halls in Dutch. From the Stadthuys, the Dutch ruled Malacca in the 17th century.
ALLAN : Thank you for your information, sir.

Sudahkah Saudara Pergi Ke ...?

A : *Sudahkah Saudara pergi ke Kompleks Malaysia Mini?*
B : *Belum. Apakah yang boleh dilihat di sana?*
A : *Di Kompleks Malaysia Mini Saudara boleh melihat tiga belas jenis rumah Melayu tradisional.*
B : *Dari mana asalnya rumah-rumah itu?*
A : *Rumah-rumah itu berasal dari tiga belas negeri di Malaysia.*
B : *Apa ada di dalam rumah-rumah itu?*
A : *Di dalam rumah itu dipamerkan karya seni dan budaya yang masih hidup di negeri masing-masing. Tak mahukah Saudara pergi?*
B : *Tentu mahu. Kalau Saudara pergi, ajaklah saya.*

Have You Been To ...?

A : Have you been to the Mini Malaysia Complex?
B : Not yet. What can you see there?
A : At the Mini Malaysia Complex, you can see thirteen types of Malay traditional houses.
B : Where did all the houses come from?
A : The traditional houses came from thirteen states of Malaysia.
B : What are inside these houses?
A : Each house contains works of art and culture that still exist in their respective state. Wouldn't you like to go?
B : Of course I would. If you go, please ask me along.

Saudara Hendak Pergi Dengan Keretapikah?

A : *Saudara mahu pergi ke mana?*
B : *Saya mahu pergi ke Kota Bharu.*
A : *Saudara hendak pergi dengan keretapikah?*
B : *Tidak, saya naik bas.*
A : *Mengapa tidak naik kapal terbang?*
B : *Saya tidak ada wang untuk naik kapal terbang.*
A : *Saudara pergi ke Kota Bharu, untuk apa?*
B : *Saya pergi ke Kota Bharu untuk menghadiri majlis perkahwinan teman saya.*
A : *Selamat jalan.*
B : *Selamat tinggal.*

Are You Going By Train?

A : Where are you going?
B : I am going to Kota Bharu.
A : Are you going by train?
B : No, by bus.
A : Why don't you go by aeroplane?
B : I have no money to go by aeroplane.
A : Why are you going to Kota Bharu.
B : To attend my friend's wedding.
A : Goodbye (lit. Travel safely).
B : Goodbye (lit. Stay safely).

Puan Mahu Naik Keretapi Malamkah?

JENIFFER : *Encik Kamal, saya mahu pergi ke Kota Bahru dengan keretapi. Bolehkah Encik tolong belikan tiket?*
KAMAL : *Bilakah Puan hendak berangkat*?*
JENIFFER : *Saya hendak berangkat malam ini.*
KAMAL : *Puan mahu naik keretapi malamkah?*
JENIFFER : *Ya, Saya mahu naik keretapi malam. Mengapa, keretapi malam tidak baguskah?*
KAMAL : *Bagus Puan. Puan boleh tidur. Tapi tidak boleh melihat pemandangan di sepanjang jalan.*
JENIFFER : *Tidak apalah. Ini wang tiketnya.*
KAMAL : *Ya, Puan. Sekarang juga saya ke stesen keretapi.*

Are You Taking A Night Train?

JENIFFER : Mr. Kamal, I want to go to Kota Bharu by train. Can you help me to buy the ticket?
KAMAL : When do you want to leave?
JENIFFER : I want to leave tonight.
KAMAL : So you are taking a night train?
JENIFFER : Yes, I want to take a night train. Why? Don't you think the night train is good too?
KAMAL : The night train is good. You can sleep. But you can't see the scenery on the way.
JENIFFER : Never mind. This is the money for the ticket.
KAMAL : Yes, Madam. I'll go to the railway station right away.

**Angkat* or *mengangkat* means 'to carry' or 'to appoint'. *Berangkat* is 'to depart' and *keberangkatan* is 'departure'; *Balai Keberangkatan* is 'Departure Hall'.

Saudara Sedang Buat Apa?

A : *Saudara sedang buat apa?*
B : *Saya sedang membaca sebuah novel Melayu.*
A : *Oh, Saudara sudah boleh membaca buku dalam bahasa Melayu.*
B : *Tidak. Saya masih belum boleh membaca buku dalam bahasa Melayu.*
A : *Jadi, Saudara membaca terjemahannya?*
B : *Betul, saya membaca novel itu dalam terjemahan Inggerisnya.*
A : *Apa nama novel itu?*
B : Salina.
A : *Siapa pengarangnya?*
B : *A. Samad Said.*

What Are You Doing?

A : What are you doing?
B : I am reading a Malay novel.
A : Oh, so you can read books in the Malay language?
B : No. I can't read books in Malay yet.
A : So, you are reading a translation?
B : Yes, I am reading the novel in the English translation.
A : What is the name of the novel?
B : *Salina.*
A : Who is the author?
B : A. Samad Said.

Ada Berapa Buah Suratkhabarkah[*] Di ...?

AZLAN : *Safwan, ada berapa buah suratkhabarkah di Kuala Lumpur?*
SAFWAN : *Ada lebih daripada sepuluh buah suratkhabar.*
AZLAN : *Suratkhabar manakah yang paling menarik bagi Kamu?*
SAFWAN : *Ada dua buah suratkhabar yang saya sukai.*
AZLAN : *Suratkhabar apakah itu?*
SAFWAN : *Yang pertama* Warga Kota *dan yang kedua* Berita Kita.
AZLAN : *Bagaimana isi berita kedua-dua suratkhabar ini?*
SAFWAN : Warga Kota *mempunyai berita setempat yang menarik dan banyak hiburannya.* Berita Kita *lebih mementingkan berita yang serius, misalnya berita ekonomi, politik, sosial dan sebagainya.*
AZLAN : *Awak suka membaca surat-surat dari pembaca?*
SAFWAN : *Suka sekali. Dari surat-surat pembaca, saya dapat mengetahui sambutan masyarakat terhadap peristiwa-peristiwa yang sedang berlaku.*

How Many Newspapers Are There In ...?

AZLAN : Safwan, how many newspapers are there in Kuala Lumpur?
SAFWAN : There are more than ten newspapers.
AZLAN : Which do you think is the most interesting newspaper?
SAFWAN : There are two newspapers that I like.
AZLAN : What are they?
SAFWAN : The first one is the *Warga Kota,* and the second one is the *Berita Kita*.

AZLAN	:	How is the news in these two newspapers?
SAFWAN	:	The *Warga Kota* has many interesting local news and entertainment. The *Berita Kita* gives more emphasis on serious things such as economics, politics, social news and others.
AZLAN	:	Do you like to read the letters from the readers?
SAFWAN	:	Yes, I like them very much. From the readers' letters, I get to know the society's reaction towards events that are taking place.

**Akhbar* is another word used for *suratkhabar*.

Ada Berita Apa Di Suratkhabar Pagi Ini?

BOBBY : *Ada berita apa di suratkhabar pagi ini?*
TAN : *Berita apa yang ingin kamu dengar?*
BOBBY : *Berita lalulintas misalnya.*
TAN : *Ada kemalangan lalulintas.*
BOBBY : *Di mana kemalangan itu berlaku?*
TAN : *Di Cameron Highland, dekat Tanah Rata.*
BOBBY : *Bila kemalangan itu berlaku?*
TAN : *Kemalangan itu berlaku pada pagi Sabtu.*
BOBBY : *Bagaimana kecelakaan itu terjadi?*
TAN : *Sebuah bas yang membawa penumpang telah terhumban ke jurang sedalam 100 meter.*
BOBBY : *Adakah sesiapa yang terkorban?*
TAN : *Ada. Dua orang mati di tempat kejadian, enam belas luka parah dan tiga puluh tiga luka ringan. Mangsa kemalangan kini dirawat di Hospital Besar, Kuala Lumpur.*

Any News In This Morning's Newspaper?

BOBBY : Any news in this morning's paper?
TAN : What kind of news do you want?
BOBBY : Traffic news, for example.
TAN : There was a traffic accident.
BOBBY : Where did the accident take place?
TAN : In Cameron Highlands near Tanah Rata.
BOBBY : When did the accident happen?
TAN : The accident happened on Saturday morning.
BOBBY : How did it happen?
TAN : A bus carrying passengers plunged into a 100-metre deep ravine.

BOBBY : Any victims?
TAN : Yes, two people died, sixteen were seriously injured and thirty-three suffered light injuries. The victims are being treated at the Kuala Lumpur General Hospital.

Ada Berapa Musimkah Di Malaysia?

A : *Beberapa hari ini cuaca panas betul.*
B : *Ya, memang benar. Sekarang sudah tiba musim kemarau.*
A : *Ada berapa musimkah di Malaysia?*
B : *Di Malaysia hanya ada dua musim, iaitu musim hujan dan musim kemarau.*
A : *Bila musim kemarau bermula?*
B : *Musim kemarau biasanya bermula pada bulan April atau Mei.*
A : *Tidak adakah hujan dalam musim kemarau?*
B : *Ada juga, tetapi sedikit sekali.*
A : *Patutlah beberapa hari ini suhunya panas sekali.*

How Many Seasons Are There In Malaysia?

A : For the last few days, the weather has been very hot.
B : Yes, it's true. We are now entering the dry season.
A : How many seasons are there in Malaysia?
B : In Malaysia, there are only two seasons, the rainy season and the dry season.
A : When does the dry season begin?
B : The dry season usually begins in April or May.
A : Isn't there any rain during the dry season?
B : There is, but very little.
A : No wonder the weather has been very hot these few days.

Hari Ini Panas Betul

PUAN MANISAH	:	*Selamat pagi, Puan.*
PUAN ORWIN	:	*Selamat pagi.*
PUAN MANISAH	:	*Hari ini panas betul.*
PUAN ORWIN	:	*Benar. Hari ini panas sekali. Adakah Kuala Lumpur selalu panas begini?*
PUAN MANISAH	:	*Benar. Kuala Lumpur selalu panas begini. Lagipun beberapa hari ini hujan tidak turun.*
PUAN ORWIN	:	*Kalau begitu, sekarang musim kemarau.*
PUAN MANISAH	:	*Benar, Puan. Sekarang ini musim kemarau.*

It Is Very Hot Today

MRS. MANISAH	:	Good morning, Mrs. Orwin.
MRS. ORWIN	:	Good morning.
MRS. MANISAH	:	It is very hot today.
MRS. ORWIN	:	Yes. It is very hot today. Is Kuala Lumpur always hot like this?
MRS. MANISAH	:	Yes. Kuala Lumpur is always hot like this. What is more, there has been no rain these few days.
MRS. ORWIN	:	If that is so, it must be the dry season now.
MRS. MANISAH	:	Yes, Madam. It is the dry season now.

Bagaimana Cuaca Hari Ini?

A : *Bagaimana cuaca hari ini?*
B : *Saudara tidak mendengar warta berita tadi?*
A : *Tidak.*
B : *Menurut ramalan cuaca, hari ini mendung dan hujan di beberapa kawasan.*
A : *Bagaimana suhunya?*
B : *Suhunya antara dua puluh lima dan tiga puluh darjah Centigrade.*
A : *Terima kasih.*

How Is The Weather Like Today?

A : How is the weather like today?
B : Haven't you heard the news?
A : No, I haven't.
B : According to the weather forecast, it is cloudy today and it will rain in a few places.
A : How is the temperature like?
B : It will be between 25 and 30 degree Centigrade.
A : Thank you.

NOTES

NOTES

NOTES

NOTES

TIMES LEARN MALAY

Malay in 3 Weeks *by John Parry and Sahari Sulaiman*
A teach-yourself Malay book that enables you to communicate in practical everyday situations.

Malay Made Easy *by A.W. Hamilton*
How to speak Malay intelligibly and accurately.

Easy Malay Vocabulary: 1001 Essential Words *by A.W. Hamilton*
A handbook to enlarge your vocabulary and to ensure effective communication in Malay on a wide range of topics.

Speak Malay! *by Edward S. King*
A graded course in simple spoken Malay for English-speaking people.

Write Malay *by Edward S. King*
A more advanced course on how to read and write good modern Malay.

Learn Malay: A Phrase a Day *by Dr. G. Soosai*
A simple but comprehensive way to learn Malay in 365 days.

Converse in Malay *by Dr. G. Soosai*
A compilation of the highly successful RTM *Radio Lessons* series, a programme which proved both popular and beneficial to thousands of listeners in mastering Malay.

Malay Phrase Book For Tourists *by Hj Ismail Ahmad & Andrew Leonki*
The indispensable companion, it helps tourists in everyday situations in a Malay-speaking world.

Standard Malay Made Simple *by Dr. Liaw Yock Fang*
An intensive standard Malay language (bahasa Melayu baku) course designed for adult learners with no previous knowledge of the Malay language.

Speak Standard Malay *by Dr. Liaw Yock Fang*
An easy and comprehensive guide which enables you to acquire fluency and confidence in speaking standard Malay in only 3 months.

TIMES LEARN INDONESIAN

Standard Indonesian Made Simple *by Dr. Liaw Yock Fang with Dra Nini Tiley-Notodisuryo*
An intensive standard Indonesian language course designed for beginners to gain mastery of the language.

Speak Standard Indonesian: A Beginner's Guide *by Dr. Liaw Yock Fang with Drs. Munadi Patmadiwiria & Abdullah Hassan*
An easy and comprehensive guide which enables you to acquire fluency and confidence in speaking standard Indonesian in only a few months.

Indonesian In 3 Weeks *by Dr. Liaw Yock Fang with Drs. Munadi Patmadiwiria & Abdullah Hassan*
A teach-yourself Indonesian book that enables you to understand what people say to you, and to make yourself understood in everyday situations.

Indonesian Phrase Book For Tourists *by Nini Tiley-Notodisuryo*
A handy reference for every traveller, it helps you in everyday situations during your stay in Indonesia.

REFERENCE

Times Comparative Dictionary of Malay-Indonesian Synonyms
compiled by Dr. Leo Suryadinata, edited by Professor Abdullah Hassan
For learners of Malay and Indonesian who want to know the differences that exist between the two languages.

Tesaurus Bahasa Melayu *by Prof. Madya Noor Ein Mohd Noor, Noor Zaini Mohd Ali, Mohd Tahir Abd Rahman, Singgih W. Sumartoyo, Siti Fatimah Ariffin*
A comprehensive A–Z thesaurus that enables you to master Malay vocabulary effectively.

About the Author

Dr. Liaw Yock Fang acquired his B.A. and M.A. in Indonesian Language and Literature from the University of Indonesia in Jakarta, Indonesia. He also holds a Drs. and Dr. of Literature degrees in Indonesian Language and Literature from the University of Leiden, Leiden, the Netherlands.

His main publications include *Sejarah Kesusastraan Melayu Klasik* (History of Classical Malay Literature) (1975) – a new version of the book, now in two volumes, has recently been published in Jakarta; *Undang-Undang Melaka* (The Laws of Malacca) (1976); *Pelajaran Bahasa Melayu 1A – 6B* (co-author, 1982) – a series of textbooks approved by the Ministry of Education for primary schools in Singapore; *Kursus Bahasa Nasional I – IV* (1984) – also an approved series for secondary schools in Singapore; and *Nahu Melayu Moden* (Modern Malay Grammar) (1985) – a new version of the book, with the co-operation of Prof. Abdullah Hassan, from Universiti Sains Malaysia, has recently been re-issued under the same title in Kuala Lumpur.

Dr. Liaw has been teaching Malay/Indonesian languge and literature since 1966. He has for a number of years served as an Examiner in Malay in the former Malaysian Certificate of Education (MCE) Examination and the present Singapore Cambridge GCE 'O' and 'A' Level Examinations. He is also a member of the Malay Language Council (Majlis Bahasa Melayu) in Singapore.

Dr. Liaw is now an Associate Professor with the Department of Malay Studies, National University of Singapore.